Le Dernier Jour d'un condamné

VICTOR HUGO

W9-CHD-512

Notes, questionnaires et dossier
par Valérie Springer,
professeur de français,
professeur certifié des lycées professionnels.

Texte conforme à l'édition de L'Imprimerie nationale (1910).

Crédits photographiques :

p. 5 : Victor Hugo en 1829, lithographie d'Achille Devéria, © photothèque Hachette Livre. **p. 14 :** frontispice d'une édition illustrée du *Dernier Jour d'un condamné*, © photothèque Hachette Livre. **pp. 15, 45 :** « *Le juste milieu, entre la guillotine et la liberté* », lithographie de Delaporte (1831), © photothèque Hachette Livre. **p. 16 :** Exécution en place publique, le 19 janvier 1880, de Victor Prévost, ancien boucher de 43 ans, auteur d'un double homicide (gravure sur bois), © photothèque Hachette Livre. **pp. 35, 92 :** © photothèque Hachette Livre. **p. 87 :** cliché Hachette, photo Dubure. **pp. 131, 148, 169 :** © photothèque Hachette Livre. **p. 171 :** © L'Illustration. **pp. 173, 176 :** © photothèque Hachette Livre.

La bande dessinée sur la vie de Victor Hugo, pages 6 à 9, a été réalisée par Sylvain Frécon, sur un scénario de Valérie Springer.

Conseiller éditorial : **Loïc Valentin**, professeur de français en lycée professionnel.

Maquette de couverture : Karine Nayé

Maquette intérieure : GRAPH'in-folio

Composition / mise en pages : GRAPH'in-folio

Édition : Fabrice Pinel

Dossier pédagogique téléchargeable gratuitement sur :
www.hachette-education.com

ISBN : 978-201-281541-4

© HACHETTE LIVRE, 2013, 43 quai de Grenelle, 75905 Paris Cedex 15.

www.hachette-education.com

Sommaire

④ Dossier Bibliolycée BAC PRO

Retenir l'essentiel

Victor Hugo est le chef de file du romantisme français au XIXe siècle.

Le Dernier Jour d'un condamné est publié pour la première fois en 1829. Le récit est, en fait, un plaidoyer contre la peine de mort, qui fait scandale lors de sa parution.

VICTOR HUGO (1802-1885)

Ses contemporains :
• Lamartine, poète et homme politique
• Les écrivains Balzac, Dumas, Flaubert, Zola, Maupassant
• Les poètes romantiques Musset et Vigny

Les personnalités clés :
• Charles X, roi de France
• Louis-Philippe, roi des Français
• Louis Napoléon Bonaparte (Napoléon III)
• Juliette Drouet, sa maîtresse

En 1816, Victor Hugo, âgé de 14 ans, exprime déjà son ambition poétique.

Je veux être Chateaubriand ou rien.

Plusieurs exécutions, dont celles de Louvel, l'assassin du duc de Berry, et de Louis Ulbach, meurtrier par dépit amoureux, font de Victor Hugo un abolitionniste convaincu.

Mais que fait ce bourreau ?

Pardi ! Faut pas que ça accroche.

Un peu de savon gras, et zou !

En 1820, Hugo reçoit une pension du roi Louis XVIII pour son ode sur *La Mort du duc de Berry*.

Vous m'avez ému, M. Hugo.

25 février 1830 : Représentation d'*Hernani*...

Serait-ce déjà lui ?

C'est bien à l'escalier

Dérobé.

... qui déclenche la fameuse « bataille ».

C'EST GROTESQUE !

GROTESQUE, EN EFFET, ET SUBLIME !

Hierro

C'EST UNE HONTE !

Marié à Adèle Foucher en 1822, Hugo rencontre Juliette Drouet dix ans plus tard. Elle devient sa maîtresse.

Le 9 septembre 1843, un drame va bouleverser la vie de Victor Hugo.

L'AURORE
Littéraire, Artistique, Sociale

Mort par noyade de la fille de Victor Hugo

Sa douleur le détourne de l'écriture; il s'engage alors en politique.

Le 15 septembre 1848, à l'Assemblée nationale.

RENVERSEZ L'ÉCHAFAUD !

9 juillet 1849.

DÉTRUIRE LA MISÈRE !

OUI, CELA EST POSSIBLE !

Opposé au coup d'État de 1851, Hugo doit s'exiler.

Napoléon-le-Petit!

Hugo trouve refuge à Jersey avec sa famille, puis à Guernesey, île anglaise au large de l'Atlantique.

2 septembre 1870 : La France est battue par la Prusse à Sedan et Napoléon III capitule.

Je peux enfin rentrer à Paris !

Le Petit Journal

22 mai 1885 : Victor Hugo décède.

Alors qu'il souhaitait être mené au cimetière dans le corbillard des pauvres, 2 millions de personnes lui rendent un hommage national.

Le siècle de Victor Hugo

1815
Après la défaite de Waterloo, **Napoléon** est exilé à Sainte-Hélène. La **monarchie** est restaurée.

1815-1830
Une succession de trois rois
- 1815 : Louis XVIII
- 1824 : Charles X
- 1830 : Louis-Philippe

ROYAUME, EMPIRE PUIS NATION

1830-1848
Une monarchie contestée
- 1830 : révolution de Juillet
- 1848 : révolution de Février
→ IIe République

1871-1882
Le triomphe de la République et de la laïcité
- 1871 : la Commune de Paris
- 1875 : Constitution de la IIIe République
- 1876 : Hugo sénateur
- 1879 : Jules Ferry devient ministre de l'Instruction publique.
- 1881 : l'école devient publique et gratuite.
- 1882 : l'école devient laïque et obligatoire.

1851-1870
Le Second Empire
- 1851 : coup d'État du président Louis Napoléon Bonaparte
→ Victor Hugo s'exile.
- 1852 : début du Second Empire
- 1870 : guerre contre la Prusse
→ Chute de l'Empire et retour de Victor Hugo

Un romancier à l'inépuisable imagination

- 1823 : *Han d'Islande*
- 1831 : *Notre-Dame de Paris*
- 1869 : *L'Homme qui rit*
- 1874 : *Quatrevingt-treize*

Un écrivain engagé

- 1829 : *Le Dernier Jour d'un condamné*
- 1834 : *Claude Gueux* (récit)
- 1845 : est nommé pair de France.
- 1848 : est élu député de Paris.
- 1851 : fuit le régime impérial de Napoléon III en s'exilant.
- 1853 : *Les Châtiments* (poésie)
- 1862 : *Les Misérables* (roman)
- 1876 : est élu sénateur.

VICTOR HUGO : UN GÉNIE PROLIFIQUE

Un dramaturge novateur

- 1827 : préface de *Cromwell*
- 1830 : *Hernani*
- 1832 : *Le roi s'amuse*
- 1833 : *Lucrèce Borgia*
- 1838 : *Ruy Blas*
- 1843 : *Les Burgraves*

Un poète romantique et visionnaire

1819 : ode sur *La Mort du duc de Berry*
1822-1828 : *Odes et Ballades*
1829 : *Les Orientales*
1840 : *Les Rayons et les Ombres*
1856 : *Les Contemplations*
1859-1883 : *La Légende des siècles*

LE CLASSICISME

**est un mouvement artistique qui se développe en France
et en Europe dans le seconde moitié du XVIIe siècle.**
- **Domaines :** peinture (Nicolas Poussin), architecture (le château de Versailles), littérature et théâtre en particulier (Racine).
- **Caractéristiques :** clarté, simplicité, perfection ; la raison et l'harmonie dominent.

PHÈDRE DE JEAN RACINE (1677)

Une tragédie

Phèdre, épouse du roi Thésée qu'elle croit mort, avoue son amour coupable à son beau-fils Hippolyte, qui ne l'aime pas.

Une forme parfaite

Racine retranscrit et analyse la violence des passions de ses personnages dans une écriture claire et maîtrisée.

Les personnages

- Ils sont nobles.
- Racine s'est inspiré de la mythologie grecque.

Les règles classiques

- **Règle des trois unités :** l'action se déroule dans un seul lieu (la ville de Trézène), n'excède pas 24 heures et se concentre sur une intrigue principale (l'amour coupable et meurtrier de Phèdre pour Hippolyte).
- **Règle de bienséance :** aucune parole, ni idée, ni situation ne doivent choquer le spectateur (ainsi, la mort d'Hippolyte n'est pas montrée sur scène mais seulement racontée).

LE ROMANTISME

est un mouvement artistique qui se développe en Europe (Allemagne, Angleterre, France) au XIXᵉ siècle.
- **Domaines :** peinture (Eugène Delacroix), musique (Hector Berlioz), littérature (Victor Hugo).
- **Caractéristiques :** liberté, rébellion et mélange des genres ; le *moi*, les sentiments et l'imaginaire sont mis en avant.

HERNANI
DE VICTOR HUGO (1830)

Un drame

- Le père du roi Don Carlos a fait exécuter celui du jeune noble Hernani, qui a juré de se venger et est donc banni du royaume d'Espagne (1519).
- Hernani et Don Carlos sont amoureux de Doña Sol, qui est promise au vieux duc Don Ruy Gomez.

Les personnages

- Comme Don Carlos, futur empereur Charles Quint, ils sont historiques.
- Comme Hernani, ils sont romantiques, jeunes, rebelles, tourmentés, amoureux.

Le mélange des genres

- Plusieurs actions s'entremêlent (la quête politique de Don Carlos, le projet de fuite d'Hernani et de Doña Sol, le projet de mariage de Don Ruy Gomez avec Doña Sol), dans plusieurs lieux (Saragosse, les montagnes d'Aragon, Aix-la-Chapelle…) et sur une longue durée (de février à août 1519).
- Le tragique et le comique se côtoient ; le mélange de sublime et de grotesque caractérise le drame romantique.

LE DERNIER
JOUR D'UN CONDAMNÉ

VICTOR HUGO

ILLUSTRÉ PAR GAVARNI ET ANDRIEUX

Il n'y avait en tête des premières éditions de cet ouvrage, publié d'abord sans nom d'auteur, que les quelques lignes qu'on va lire :

« Il y a deux manières de se rendre compte « de l'existence de ce livre. Ou il y a eu, en « effet, une liasse de papiers jaunes et inégaux, « sur lesquels on a trouvé, enregistrées une à

Comme on le voit, à l'époque où ce livre fut publié, l'auteur ne jugea pas à propos de dire dès lors toute sa pensée. Il aima mieux attendre qu'elle fût comprise et voir si elle le serait. Elle l'a été. L'auteur aujourd'hui peut démasquer l'idée politique, l'idée sociale, qu'il avait voulu populariser sous cette innocente et candide forme littéraire. Il déclare donc, ou plutôt

VICTOR HUGO

Le Dernier Jour
d'un condamné

Préface de 1832

¹   Il n'y avait en tête des premières éditions de cet ouvrage, publié d'abord sans nom d'auteur, que les quelques lignes qu'on va lire :

« Il y a deux manières de se rendre compte de l'existence de
⁵ *ce livre. Ou il y a eu, en effet, une liasse de papiers jaunes et inégaux sur lesquels on a trouvé, enregistrées une à une, les dernières pensées d'un misérable ; ou il s'est rencontré un homme, un rêveur occupé à observer la nature au profit de l'art, un philosophe, un poète, que sais-je ? dont cette idée a été la fantaisie,*
¹⁰ *qui l'a prise ou plutôt s'est laissé prendre par elle, et n'a pu s'en débarrasser qu'en la jetant dans un livre.*

De ces deux explications, le lecteur choisira celle qu'il voudra. »

Comme on le voit, à l'époque où ce livre fut publié, l'auteur ne jugea pas à propos¹ de dire dès lors toute sa pensée. Il aima
¹⁵ mieux attendre qu'elle fût comprise et voir si elle le serait. Elle l'a été. L'auteur aujourd'hui peut démasquer² l'idée politique, l'idée sociale, qu'il avait voulu populariser³ sous cette innocente

---

Notes

1. ne jugea pas à propos : trouva déplacé.   **3. populariser** : faire connaître à tout
2. démasquer : révéler, dire au grand jour.   le monde.

et candide forme littéraire. Il déclare donc, ou plutôt il avoue hautement que *Le Dernier Jour d'un condamné* n'est autre chose
20 qu'un plaidoyer[1], direct ou indirect, comme on voudra, pour l'abolition de la peine de mort. Ce qu'il a eu dessein[2] de faire, ce qu'il voudrait que la postérité[3] vît dans son œuvre, si jamais elle s'occupe de si peu, ce n'est pas la défense spéciale, et toujours facile, et toujours transitoire[4], de tel ou tel criminel choisi,
25 de tel ou tel accusé d'élection[5] ; c'est la plaidoirie générale et permanente pour tous les accusés présents et à venir ; c'est le grand point de droit de l'humanité allégué[6] et plaidé à toute voix devant la société, qui est la grande Cour de cassation[7] ; c'est cette suprême fin de non-recevoir[8], *abhorrescere a sanguine*[9],
30 construite à tout jamais en avant de tous les procès criminels ; c'est la sombre et fatale[10] question qui palpite obscurément au fond de toutes les causes capitales sous les triples épaisseurs de pathos[11] dont l'enveloppe la rhétorique sanglante[12] des gens du roi ; c'est la question de vie et de mort, dis-je, déshabillée,
35 dénudée, dépouillée des entortillages sonores du parquet[13], brutalement mise au jour, et posée où il faut qu'on la voie, où il faut qu'elle soit, où elle est réellement, dans son vrai milieu, dans son milieu horrible, non au tribunal, mais à l'échafaud, non chez le juge, mais chez le bourreau.

Notes

1. **plaidoyer** : discours pour la défense d'une personne, d'une cause.

2. **dessein** : projet.

3. **la postérité** : ici, le futur.

4. **transitoire** : qui ne dure pas.

5. **d'élection** : choisi.

6. **allégué** : mis en avant.

7. **Cour de cassation** : cour qui vérifie la légalité des jugements qui ont été prononcés.

8. **fin de non-recevoir** : sans retour possible.

9. *abhorrescere a sanguine* : « avoir horreur du sang ».

10. **fatale** : liée à la mort.

11. **pathos** : ton pathétique affecté et déplacé (terme péjoratif).

12. **rhétorique sanglante** : discours judiciaire visant à condamner à mort les accusés.

13. **entortillages sonores du parquet** : discours persuasifs des magistrats.

40   Voilà ce qu'il a voulu faire. Si l'avenir lui décernait un jour
la gloire de l'avoir fait, ce qu'il n'ose espérer, il ne voudrait pas
d'autre couronne.

Il le déclare donc, et il le répète, il occupe, au nom de tous
les accusés possibles, innocents ou coupables, devant toutes les
45   cours, tous les prétoires[1], tous les jurys, toutes les justices. Ce
livre est adressé à quiconque juge. Et pour que le plaidoyer soit
aussi vaste que la cause, il a dû, et c'est pour cela que *Le Dernier*
Jour d'un condamné est ainsi fait, élaguer[2] de toutes parts dans
son sujet le contingent[3], l'accident, le particulier, le spécial, le
50   relatif[4], le modifiable, l'épisode, l'anecdote, l'événement, le nom
propre, et se borner[5] (si c'est là se borner) à plaider la cause d'un
condamné quelconque, exécuté un jour quelconque, pour un
crime quelconque. Heureux si, sans autre outil que sa pensée, il
a fouillé assez avant pour faire saigner un cœur sous l'*æs triplex*[6]
55   du magistrat ! heureux s'il a rendu pitoyables ceux qui se croient
justes ! heureux si, à force de creuser dans le juge, il a réussi
quelquefois à y retrouver un homme !

Il y a trois ans, quand ce livre parut, quelques personnes ima-
ginèrent que cela valait la peine d'en contester l'idée à l'auteur.
60   Les uns supposèrent un livre anglais, les autres un livre améri-
cain. Singulière manie de chercher à mille lieues les origines des
choses, et de faire couler des sources du Nil le ruisseau qui lave
votre rue ! Hélas ! il n'y a en ceci ni livre anglais, ni livre améri-
cain, ni livre chinois. L'auteur a pris l'idée du *Dernier Jour d'un*
65   *condamné*, non dans un livre, il n'a pas l'habitude d'aller chercher ses idées si loin, mais là où vous pouviez tous la prendre, où
vous l'avez prise peut-être (car qui n'a fait ou rêvé dans son esprit
Le Dernier Jour d'un condamné ?), tout bonnement sur la place

---

Notes

1. **prétoires** : salles d'audience
des tribunaux.

2. **élaguer** : ôter.

3. **contingent** : qui peut ou non
se produire.

4. **relatif** : qui dépend de quelque chose.

5. **se borner** : se limiter.

6. *æs triplex* : « triple armure ».

publique, sur la place de Grève[1]. C'est là qu'un jour en passant il
70 a ramassé cette idée fatale, gisante dans une mare de sang sous
les rouges moignons de la guillotine.

Depuis, chaque fois qu'au gré[2] des funèbres jeudis[3] de la
Cour de cassation, il arrivait un de ces jours où le cri d'un arrêt
de mort se fait dans Paris, chaque fois que l'auteur entendait pas-
75 ser sous ses fenêtres ces hurlements enroués qui ameutent[4] des
spectateurs pour la Grève, chaque fois la douloureuse idée lui
revenait, s'emparait de lui, lui emplissait la tête de gendarmes,
de bourreaux et de foule, lui expliquait heure par heure les dernières souffrances du misérable agonisant, – en ce moment on le
80 confesse, en ce moment on lui coupe les cheveux, en ce moment
on lui lie les mains, – le sommait[5], lui pauvre poète, de dire tout
cela à la société, qui fait ses affaires pendant que cette chose
monstrueuse s'accomplit, le pressait, le poussait, le secouait, lui
arrachait ses vers de l'esprit, s'il était en train d'en faire, et les
85 tuait à peine ébauchés, barrait tous ses travaux, se mettait en
travers de tout, l'investissait, l'obsédait, l'assiégeait. C'était un
supplice, un supplice qui commençait avec le jour, et qui durait,
comme celui du misérable qu'on torturait au même moment,
jusqu'à *quatre heures*. Alors seulement, une fois le *ponens caput*
90 *expiravit*[6] crié par la voix sinistre de l'horloge, l'auteur respirait
et retrouvait quelque liberté d'esprit. Un jour enfin, c'était, à ce
qu'il croit, le lendemain de l'exécution d'Ulbach[7], il se mit à
écrire ce livre. Depuis lors il a été soulagé. Quand un de ces

Notes

1. **place de Grève** : à Paris, place où
se déroulaient les exécutions capitales.

2. **au gré** : selon les circonstances.

3. Le jeudi était le jour où la justice
décidait des recours pour les condamnés.

4. **ameutent** : font venir en groupe.

5. **sommait** : obligeait.

6. *ponens caput expiravit* : jeu de mots
macabre faisant allusion à la mort

du Christ et à la citation de l'Évangile
« *inclinant la tête, il expira* » pour décrire
le condamné déposant sa tête à cause
de la guillotine.

7. **Ulbach** : jeune homme condamné à
mort en 1827 pour un crime passionnel.
Victor Hugo a assisté à son exécution
car il passait ce jour-là par la place
de Grève.

crimes publics, qu'on nomme exécutions judiciaires, a été com-
95 mis, sa conscience lui a dit qu'il n'en était plus solidaire ; et il
n'a plus senti à son front cette goutte de sang qui rejaillit de la
Grève sur la tête de tous les membres de la communauté sociale.

Toutefois, cela ne suffit pas. Se laver les mains est bien, empê-
cher le sang de couler serait mieux.

100 Aussi ne connaîtrait-il pas de but plus élevé, plus saint, plus
auguste[1] que celui-là : concourir à l'abolition de la peine de
mort. Aussi est-ce du fond du cœur qu'il adhère aux vœux et aux
efforts des hommes généreux de toutes les nations qui travaillent
depuis plusieurs années à jeter bas l'arbre patibulaire[2], le seul
105 arbre que les révolutions ne déracinent pas. C'est avec joie qu'il
vient à son tour, lui chétif, donner son coup de cognée, et élargir
de son mieux l'entaille que Beccaria[3] a faite, il y a soixante-six
ans, au vieux gibet dressé depuis tant de siècles sur la chrétienté.

Nous venons de dire que l'échafaud est le seul édifice que les
110 révolutions ne démolissent pas. Il est rare, en effet, que les révolutions soient sobres de sang humain, et, venues qu'elles sont
pour émonder, pour ébrancher, pour étêter la société[4], la peine
de mort est une des serpes dont elles se dessaisissent le plus
malaisément.

115 Nous l'avouerons cependant, si jamais révolution nous parut
digne et capable d'abolir la peine de mort, c'est la révolution
de Juillet[5]. Il semble, en effet, qu'il appartenait au mouvement
populaire le plus clément[6] des temps modernes de raturer la
pénalité barbare[7] de Louis XI, de Richelieu et de Robespierre,

Notes

1. **auguste** : élevé.
2. **l'arbre patibulaire** : la potence.
3. **Beccaria** : juriste italien abolitionniste
du Siècle des lumières.
4. **pour émonder [...] la société** : pour
créer des changements radicaux dans
la société.

5. **révolution de Juillet** : mouvement
insurrectionnel qui dura trois jours
en juillet 1830, ce qui lui valut
la dénomination de « les Trois
Glorieuses ».
6. **clément** : doux, indulgent.
7. **raturer la pénalité barbare** :
supprimer la peine de mort.

120 et d'inscrire au front de la loi l'inviolabilité[1] de la vie humaine. 1830 méritait de briser le couperet[2] de 93[3].

Nous l'avons espéré un moment. En août 1830, il y avait tant de générosité et de pitié dans l'air, un tel esprit de douceur et de civilisation flottait dans les masses, on se sentait le cœur si bien 125 épanoui par l'approche d'un bel avenir, qu'il nous sembla que la peine de mort était abolie de droit, d'emblée[4], d'un consente- ment tacite[5] et unanime, comme le reste des choses mauvaises qui nous avaient gênés. Le peuple venait de faire un feu de joie des guenilles de l'Ancien Régime. Celle-là était la guenille 130 sanglante. Nous la crûmes dans le tas. Nous la crûmes brûlée comme les autres. Et pendant quelques semaines, confiant et crédule, nous eûmes foi pour l'avenir à l'inviolabilité de la vie comme à l'inviolabilité de la liberté.

Et en effet deux mois s'étaient à peine écoulés qu'une tenta- 135 tive fut faite pour résoudre en réalité légale l'utopie[6] sublime de Cesar Bonesana[7].

Malheureusement, cette tentative fut gauche, maladroite, presque hypocrite, et faite dans un autre intérêt que l'intérêt général.

140 Au mois d'octobre 1830, on se le rappelle, quelques jours après avoir écarté par l'ordre du jour la proposition d'ensevelir Napoléon sous la colonne, la Chambre[8] tout entière se mit à pleurer et à bramer[9]. La question de la peine de mort fut mise sur le tapis, nous allons dire quelques lignes plus bas à quelle 145 occasion ; et alors il sembla que toutes ces entrailles de législa- teurs[10] étaient prises d'une subite et merveilleuse miséricorde[11].

Notes

1. **inviolabilité** : ce à quoi on ne peut porter atteinte.

2. **le couperet** : la guillotine.

3. La date 1793 fait référence au régime de la Terreur.

4. **d'emblée** : immédiatement.

5. **consentement tacite** : accord qui n'a pas besoin d'être dit ou écrit.

6. **utopie** : projet idéal.

7. Il s'agit de Beccaria (*cf.* note 3, p. 20).

8. **la Chambre** : la Chambre des députés.

9. **bramer** : crier en se lamentant.

10. **législateurs** : ici, députés.

11. **miséricorde** : pitié.

Ce fut à qui parlerait, à qui gémirait, à qui lèverait les mains au ciel. La peine de mort, grand Dieu ! quelle horreur ! Tel vieux procureur général[1], blanchi dans la robe rouge, qui avait mangé
150 toute sa vie le pain trempé de sang des réquisitoires[2], se composa tout à coup un air piteux et attesta les dieux qu'il était indigné de la guillotine. Pendant deux jours la tribune ne désemplit pas de harangueurs[3] en pleureuses. Ce fut une lamentation, une myriologie[4], un concert de psaumes[5] lugubres, un *Super flumina*
155 *Babylonis*[6], un *Stabat mater dolorosa*[7], une grande symphonie en ut, avec chœurs, exécutée par tout cet orchestre d'orateurs qui garnit les premiers bancs de la Chambre, et rend de si beaux sons dans les grands jours. Tel vint avec sa basse, tel avec son fausset[8]. Rien n'y manqua. La chose fut on ne peut plus pathétique et
160 pitoyable. La séance de nuit surtout fut tendre, paterne[9] et déchirante comme un cinquième acte de Lachaussée[10]. Le bon public, qui n'y comprenait rien, avait les larmes aux yeux.

De quoi s'agissait-il donc ? d'abolir la peine de mort ?

Oui et non.

165 Voici le fait :

Quatre hommes[11] du monde, quatre hommes comme il faut, de ces hommes qu'on a pu rencontrer dans un salon, et avec qui peut-être on a échangé quelques paroles polies ; quatre de

---

Notes

1. **procureur général** : magistrat qui représente le ministère public et qui, à ce titre, propose la peine à infliger à l'accusé.

2. **réquisitoires** : discours de l'accusation prononcés par les représentants du ministère public.

3. **harangueurs** : orateurs.

4. **myriologie** : rituel funèbre de la Grèce antique.

5. **psaumes** : chants religieux.

6. *Super flumina Babylonis* : psaume « Près des fleuves de Babel ».

7. *Stabat mater dolorosa* : chant de douleur (titre d'une œuvre musicale inspirée par les Évangiles).

8. **fausset** : voix aiguë avec des accents peu sincères.

9. **paterne** : paternel, réconfortant.

10. **Lachaussée** : auteur de drames bourgeois bien-pensants au XVIIIe siècle (ironie de V. Hugo).

11. **Quatre hommes** : anciens ministres de Charles X.

ces hommes, dis-je, avaient tenté, dans les hautes régions poli-
170 tiques, un de ces coups hardis[1] que Bacon appelle crimes, et que
Machiavel[2] appelle entreprises. Or, crime ou entreprise, la loi,
brutale pour tous, punit cela de mort. Et les quatre malheureux
étaient là, prisonniers, captifs de la loi, gardés par trois cents
cocardes tricolores sous les belles ogives de Vincennes[3]. Que
175 faire et comment faire ? Vous comprenez qu'il est impossible
d'envoyer à la Grève, dans une charrette, ignoblement liés avec
de grosses cordes, dos à dos avec ce fonctionnaire qu'il ne faut
pas seulement nommer, quatre hommes comme vous et moi,
quatre *hommes du monde* ? Encore s'il y avait une guillotine
180 en acajou !

Hé ! il n'y a qu'à abolir la peine de mort !

Et là-dessus, la Chambre se met en besogne.

Remarquez, messieurs, qu'hier encore vous traitiez cette
abolition d'utopie, de théorie, de rêve, de folie, de poésie.
185 Remarquez que ce n'est pas la première fois qu'on cherche à
appeler votre attention sur la charrette, sur les grosses cordes et
sur l'horrible machine écarlate, et qu'il est étrange que ce hideux
attirail vous saute ainsi aux yeux tout à coup.

Bah ! c'est bien de cela qu'il s'agit ! Ce n'est pas à cause de
190 vous, peuple, que nous abolissons la peine de mort, mais à cause
de nous, députés qui pouvons être ministres. Nous ne voulons
pas que la mécanique de Guillotin[4] morde les hautes classes.
Nous la brisons. Tant mieux si cela arrange tout le monde, mais
nous n'avons songé qu'à nous. Ucalégon[5] brûle ! Éteignons le
195 feu. Vite, supprimons le bourreau, biffons[6] le Code.

Notes

1. **hardis :** dangereux.
2. **Bacon, Machiavel :** théoriciens et
hommes politiques de la Renaissance.
3. Le château de Vincennes servait
encore, à l'époque, de prison.
4. **Guillotin :** médecin qui a proposé,
en 1789, une nouvelle machine pour
exécuter les condamnés.

5. **Ucalégon :** personnage de l'*Énéide*
de Virgile dont la palais a brûlé.
6. **biffons :** barrons et supprimons
l'article sur la peine de mort.

Et c'est ainsi qu'un alliage d'égoïsme altère et dénature les plus belles combinaisons sociales. C'est la veine noire dans le marbre blanc ; elle circule partout, et apparaît à tout moment à l'improviste sous le ciseau. Votre statue est à refaire.

200 Certes, il n'est pas besoin que nous le déclarions ici, nous ne sommes pas de ceux qui réclamaient les têtes des quatre ministres. Une fois ces infortunés[1] arrêtés, la colère indignée que nous avait inspirée leur attentat s'est changée, chez nous comme chez tout le monde, en une profonde pitié. Nous avons
205 songé aux préjugés d'éducation de quelques-uns d'entre eux, au cerveau peu développé de leur chef[2], relaps[3] fanatique et obstiné des conspirations de 1804, blanchi avant l'âge sous l'ombre humide des prisons d'État, aux nécessités fatales de leur position commune, à l'impossibilité d'enrayer sur cette pente rapide où
210 la monarchie s'était lancée elle-même à toute bride le 8 août 1829[4], à l'influence trop peu calculée par nous jusqu'alors de la personne royale, surtout à la dignité que l'un d'entre eux répandait comme un manteau de pourpre sur leur malheur. Nous sommes de ceux qui leur souhaitaient bien sincèrement la vie
215 sauve, et qui étaient prêts à se dévouer pour cela. Si jamais, par impossible, leur échafaud eût été dressé un jour en Grève, nous ne doutons pas, et si c'est une illusion nous voulons la conserver, nous ne doutons pas qu'il n'y eût eu une émeute pour le renverser, et celui qui écrit ces lignes eût été de cette sainte émeute.
220 Car, il faut bien le dire aussi, dans les crises sociales, de tous les échafauds, l'échafaud politique est le plus abominable, le plus funeste, le plus vénéneux, le plus nécessaire à extirper. Cette

Notes

1. **infortunés :** malheureux.
2. Il s'agit de l'ultraroyaliste Jules Polignac (1780-1847), président du Conseil en 1829 et dont les ordonnances de juillet 1830 provoquèrent la révolution des Trois Glorieuses.

3. **relaps :** se dit de quelqu'un qui est retombé dans l'erreur, dans un pêché ou une hérésie (ici, désigne les adversaires de l'ascension de Bonaparte en 1804).
4. Date d'entrée en fonction du gouvernement « ultra » dont les décisions vont déclencher la révolution de 1830.

espèce de guillotine-là prend racine dans le pavé, et en peu de temps repousse de bouture sur tous les points du sol.

225   En temps de révolution, prenez garde à la première tête qui tombe. Elle met le peuple en appétit.

Nous étions donc personnellement d'accord avec ceux qui voulaient épargner les quatre ministres, et d'accord de toutes manières, par les raisons sentimentales comme par les rai-
230 sons politiques. Seulement, nous eussions mieux aimé que la Chambre choisît une autre occasion pour proposer l'abolition de la peine de mort.

Si on l'avait proposée, cette souhaitable abolition, non à propos de quatre ministres tombés des Tuileries à Vincennes, mais
235 à propos du premier voleur de grands chemins venu, à propos d'un de ces misérables que vous regardez à peine quand ils passent près de vous dans la rue, auxquels vous ne parlez pas, dont vous évitez instinctivement le coudoiement poudreux[1] ; malheureux dont l'enfance déguenillée[2] a couru pieds nus dans
240 la boue des carrefours, grelottant l'hiver au rebord des quais, se chauffant au soupirail des cuisines de M. Véfour[3] chez qui vous dînez, déterrant çà et là une croûte de pain dans un tas d'ordures et l'essuyant avant de la manger, grattant tout le jour le ruisseau avec un clou pour y trouver un liard[4], n'ayant d'autre amuse-
245 ment que le spectacle gratis de la fête du roi et les exécutions en Grève, cet autre spectacle gratis ; pauvres diables, que la faim pousse au vol, et le vol au reste ; enfants déshérités[5] d'une société marâtre[6], que la maison de force[7] prend à douze ans, le bagne à dix-huit, l'échafaud à quarante ; infortunés qu'avec une école

Notes

1. **coudoiement poudreux** : coude-à-coude sale, poussiéreux ; par extension, proximité misérable.

2. **enfance déguenillée** : enfance marquée par la misère et le port d'habits pauvres et déchirés (les guenilles).

3. **M. Véfour** : chef de cuisine illustre.

4. **liard** : sou ; somme très modique.

5. **déshérités** : à qui on ne donne rien, démunis.

6. **marâtre** : qui se comporte comme une mauvaise mère.

7. **maison de force** : maison de correction.

250 et un atelier vous auriez pu rendre bons, moraux[1], utiles, et dont
vous ne savez que faire, les versant, comme un fardeau inutile,
tantôt dans la rouge fourmilière de Toulon[2], tantôt dans le muet
enclos de Clamart[3], leur retranchant la vie après leur avoir volé la
liberté ; si c'eût été à propos d'un de ces hommes que vous eus-
255 siez proposé d'abolir la peine de mort, oh ! alors, votre séance
eût été vraiment digne, grande, sainte, majestueuse, vénérable.
Depuis les augustes pères de Trente[4], invitant les hérétiques[5] au
concile au nom des entrailles de Dieu, *per viscera Dei*, parce
qu'on espère leur conversion, *quoniam sancta synodus sperat*
260 *hæreticorum conversionem*, jamais assemblée d'hommes n'aurait présenté au monde spectacle plus sublime, plus illustre et
plus miséricordieux. Il a toujours appartenu à ceux qui sont vraiment forts et vraiment grands d'avoir souci du faible et du petit.
Un conseil de brahmines[6] serait beau prenant en main la cause
265 du paria[7]. Et ici, la cause du paria, c'était la cause du peuple. En
abolissant la peine de mort, à cause de lui et sans attendre que
vous fussiez intéressés dans la question, vous faisiez plus qu'une
œuvre politique, vous faisiez une œuvre sociale.

Tandis que vous n'avez pas même fait une œuvre politique en
270 essayant de l'abolir, non pour l'abolir, mais pour sauver quatre
malheureux ministres pris la main dans le sac des coups d'État !

Qu'est-il arrivé ? c'est que, comme vous n'étiez pas sincères,
on a été défiant[8]. Quand le peuple a vu qu'on voulait lui donner
le change, il s'est fâché contre toute la question en masse, et,
275 chose remarquable ! il a pris fait et cause pour cette peine de

mort dont il supporte pourtant tout le poids. C'est votre mala-
dresse qui l'a amené là. En abordant la question de biais[1] et sans
franchise, vous l'avez compromise pour longtemps. Vous jouiez
une comédie. On l'a sifflée.

280   Cette farce pourtant, quelques esprits avaient eu la bonté de
la prendre au sérieux. Immédiatement après la fameuse séance,
ordre avait été donné aux procureurs généraux, par un garde
des Sceaux[2] honnête homme, de suspendre indéfiniment toutes
exécutions capitales. C'était en apparence un grand pas. Les
285   adversaires de la peine de mort respirèrent. Mais leur illusion fut
de courte durée.

       Le procès des ministres fut mené à sa fin. Je ne sais quel
arrêt fut rendu. Les quatre vies furent épargnées. Ham[3] fut choisi
comme juste milieu entre la mort et la liberté. Ces divers arran-
290   gements une fois faits, toute peur s'évanouit dans l'esprit des
hommes d'État dirigeants, et, avec la peur, l'humanité s'en alla.
Il ne fut plus question d'abolir le supplice capital ; et une fois
qu'on n'eut plus besoin d'elle, l'utopie redevint utopie, la théorie, théorie, la poésie, poésie.

295   Il y avait pourtant toujours dans les prisons quelques malheureux condamnés vulgaires qui se promenaient dans les préaux
depuis cinq ou six mois, respirant l'air, tranquilles désormais,
sûrs de vivre, prenant leur sursis pour leur grâce. Mais attendez.

       Le bourreau, à vrai dire, avait eu grand'peur. Le jour où il
300   avait entendu les faiseurs de lois parler humanité, philanthropie[4], progrès, il s'était cru perdu. Il s'était caché, le misérable,
il s'était blotti sous sa guillotine, mal à l'aise au soleil de juillet comme un oiseau de nuit en plein jour, tâchant de se faire
oublier, se bouchant les oreilles et n'osant souffler. On ne le
305   voyait plus depuis six mois. Il ne donnait plus signe de vie. Peu à
peu cependant il s'était rassuré dans ses ténèbres. Il avait écouté

Notes

1. **de biais** : indirectement.
2. **garde des Sceaux** : ministre
de la Justice.

3. **Ham** : château où les quatre ministres
accusés furent incarcérés.
4. **philanthropie** : amour de l'humanité.

du côté des Chambres et n'avait plus entendu prononcer son nom. Plus de ces grands mots sonores dont il avait eu si grande frayeur. Plus de commentaires déclamatoires[1] du *Traité des délits*
310 *et des peines*. On s'occupait de tout autre chose, de quelque grave intérêt social, d'un chemin vicinal[2], d'une subvention pour l'Opéra-Comique, ou d'une saignée de cent mille francs sur un budget apoplectique[3] de quinze cents millions. Personne ne songeait plus à lui, coupe-tête. Ce que voyant, l'homme se tran-
315 quillise, il met sa tête hors de son trou, et regarde de tous côtés ; il fait un pas, puis deux, comme je ne sais plus quelle souris de La Fontaine, puis il se hasarde à sortir tout à fait de dessous son échafaudage, puis il saute dessus, le raccommode, le restaure, le fourbit[4], le caresse, le fait jouer, le fait reluire, se remet à suif-
320 fer[5] la vieille mécanique rouillée que l'oisiveté[6] détraquait ; tout à coup il se retourne, saisit au hasard par les cheveux dans la première prison venue un de ces infortunés qui comptaient sur la vie, le tire à lui, le dépouille, l'attache, le boucle, et voilà les exécutions qui recommencent.

325 Tout cela est affreux, mais c'est de l'histoire.

Oui, il y a eu un sursis de six mois accordé à de malheureux captifs, dont on a gratuitement aggravé la peine de cette façon en les faisant reprendre à la vie ; puis, sans raison, sans nécessité, sans trop savoir pourquoi, pour le plaisir, on a un beau
330 matin révoqué le sursis[7], et l'on a remis froidement toutes ces créatures humaines en coupe réglée[8]. Eh ! mon Dieu ! je vous le demande, qu'est-ce que cela nous faisait à tous que ces hommes vécussent ? Est-ce qu'il n'y a pas en France assez d'air à respirer pour tout le monde ?

Notes

1. **commentaires déclamatoires :** discours.
2. **vicinal :** de campagne.
3. **apoplectique :** sur le point d'exploser.
4. **fourbit :** nettoie.
5. **suiffer :** enduire de suif.

6. **oisiveté :** inactivité.
7. **on a [...] révoqué le sursis :** on est revenu sur la décision d'abolir la peine de mort.
8. **en coupe réglée :** prêtes à être guillotinées.

335   Pour qu'un jour un misérable commis de la chancellerie[1], à qui cela était égal, se soit levé de sa chaise en disant : – Allons ! personne ne songe plus à l'abolition de la peine de mort. Il est temps de se remettre à guillotiner ! – il faut qu'il se soit passé dans le cœur de cet homme-là quelque chose de bien monstrueux.

340   Du reste, disons-le, jamais les exécutions n'ont été accompagnées de circonstances plus atroces que depuis cette révocation du sursis de juillet, jamais l'anecdote de la Grève n'a été plus révoltante et n'a mieux prouvé l'exécration[2] de la peine de mort. Ce redoublement d'horreur est le juste châtiment des hommes
345 qui ont remis le code du sang en vigueur. Qu'ils soient punis par leur œuvre. C'est bien fait.

    Il faut citer ici deux ou trois exemples de ce que certaines exécutions ont eu d'épouvantable et d'impie[3]. Il faut donner mal aux nerfs aux femmes des procureurs du roi. Une femme, c'est
350 quelquefois une conscience.

    Dans le midi, vers la fin du mois de septembre dernier, nous n'avons pas bien présents à l'esprit le lieu, le jour, ni le nom du condamné, mais nous les retrouverons si l'on conteste le fait, et nous croyons que c'est à Pamiers ; vers la fin de septembre
355 donc, on vient trouver un homme dans sa prison, où il jouait tranquillement aux cartes ; on lui signifie qu'il faut mourir dans deux heures, ce qui le fait trembler de tous ses membres, car, depuis six mois qu'on l'oubliait, il ne comptait plus sur la mort ; on le rase, on le tond, on le garrotte, on le confesse ; puis on le
360 brouette entre quatre gendarmes, et à travers la foule, au lieu de l'exécution. Jusqu'ici rien que de simple. C'est comme cela que cela se fait. Arrivé à l'échafaud, le bourreau le prend au prêtre, l'emporte, le ficelle sur la bascule, l'*enfourne*, je me sers ici du mot d'argot, puis il lâche le couperet. Le lourd triangle de fer
365 se détache avec peine, tombe en cahotant[4] dans ses rainures,

---

Notes

1. **un misérable commis de la chancellerie** : un employé du ministère de la Justice.

2. **exécration** : horreur.

3. **impie** : contraire à Dieu.

4. **en cahotant** : par à-coups.

et, voici l'horrible qui commence, entaille l'homme sans le tuer. L'homme pousse un cri affreux. Le bourreau, déconcerté, relève le couperet et le laisse retomber. Le couperet mord le cou du patient une seconde fois, mais ne le tranche pas. Le patient hurle,
370 la foule aussi. Le bourreau rehisse encore le couperet, espérant mieux du troisième coup. Point. Le troisième coup fait jaillir un troisième ruisseau de sang de la nuque du condamné, mais ne fait pas tomber la tête. Abrégeons. Le couteau remonta et retomba cinq fois, cinq fois il entama le condamné, cinq fois le
375 condamné hurla sous le coup et secoua sa tête vivante en criant grâce ! Le peuple indigné prit des pierres et se mit dans sa justice à lapider le misérable bourreau. Le bourreau s'enfuit sous la guillotine et s'y tapit[1] derrière les chevaux des gendarmes. Mais vous n'êtes pas au bout. Le supplicié, se voyant seul sur l'échafaud,
380 s'était redressé sur la planche, et là, debout, effroyable, ruisselant de sang, soutenant sa tête à demi coupée qui pendait sur son épaule, il demandait avec de faibles cris qu'on vînt le détacher. La foule, pleine de pitié, était sur le point de forcer les gendarmes et de venir à l'aide du malheureux qui avait subi cinq fois son
385 arrêt de mort. C'est en ce moment-là qu'un valet du bourreau, jeune homme de vingt ans, monte sur l'échafaud, dit au patient de se tourner pour qu'il le délie, et, profitant de la posture du mourant qui se livrait à lui sans défiance, saute sur son dos et se met à lui couper péniblement ce qui lui restait de cou avec je ne
390 sais quel couteau de boucher. Cela s'est fait. Cela s'est vu. Oui.

Aux termes de la loi, un juge a dû assister à cette exécution. D'un signe il pouvait tout arrêter. Que faisait-il donc au fond de sa voiture, cet homme, pendant qu'on massacrait un homme ? Que faisait ce punisseur d'assassins, pendant qu'on assassinait
395 en plein jour, sous ses yeux, sous le souffle de ses chevaux, sous la vitre de sa portière ?

Et le juge n'a pas été mis en jugement ! et le bourreau n'a pas été mis en jugement ! Et aucun tribunal ne s'est enquis de[1] cette monstrueuse extermination de toutes les lois sur la personne sacrée d'une créature de Dieu !

400

Au dix-septième siècle, à l'époque de barbarie du code criminel, sous Richelieu, sous Christophe Fouquet, quand M. de Chalais[2] fut mis à mort devant le Bouffay[3] de Nantes par un soldat maladroit qui, au lieu d'un coup d'épée, lui donna trente-

405 quatre coups[4] d'une doloire[5] de tonnelier, du moins cela parut-il irrégulier au parlement de Paris ; il y eut enquête et procès, et si Richelieu ne fut pas puni, si Christophe Fouquet ne fut pas puni, le soldat le fut. Injustice sans doute, mais au fond de laquelle il y avait de la justice.

410 Ici, rien. La chose a eu lieu après juillet, dans un temps de douces mœurs et de progrès, un an après la célèbre lamentation de la Chambre sur la peine de mort. Eh bien ! le fait a passé absolument inaperçu. Les journaux de Paris l'ont publié comme une anecdote. Personne n'a été inquiété. On a su seulement que

415 la guillotine avait été disloquée[6] exprès par quelqu'un qui voulait nuire à l'exécuteur des hautes œuvres[7]. C'était un valet du bourreau, chassé par son maître, qui, pour se venger, lui avait fait cette malice.

Ce n'était qu'une espièglerie. Continuons.

420 À Dijon, il y a trois mois, on a mené au supplice une femme. (Une femme !) Cette fois encore, le couteau du docteur Guillotin a mal fait son service. La tête n'a pas été tout à fait coupée. Alors les valets de l'exécuteur se sont attelés aux pieds de la femme,

---

Notes

1. **ne s'est enquis de :** n'a interrogé.
2. **M. de Chalais :** Henri de Talleyrand, qui fut exécuté pour avoir comploté contre Richelieu.
3. **Bouffay :** place publique de Nantes.
4. *« La Porte dit vingt-deux, mais Aubery dit trente-quatre. M. de Chalais cria*

jusqu'au vingtième. » (Note de Victor Hugo.)
5. **doloire :** hache.
6. **disloquée :** cassée.
7. **l'exécuteur des hautes œuvres :** le bourreau.

et à travers les hurlements de la malheureuse, et à force de tirail-
425 lements et de soubresauts, ils lui ont séparé la tête du corps par
arrachement.

À Paris, nous revenons au temps des exécutions secrètes.
Comme on n'ose plus décapiter en Grève depuis juillet, comme
on a peur, comme on est lâche, voici ce qu'on fait. On a pris
430 dernièrement à Bicêtre[1] un homme, un condamné à mort, un
nommé Désandrieux, je crois ; on l'a mis dans une espèce de
panier traîné sur deux roues, clos de toutes parts, cadenassé et
verrouillé ; puis, un gendarme en tête, un gendarme en queue, à
petit bruit et sans foule, on a été déposer le paquet à la barrière[2]
435 déserte de Saint-Jacques. Arrivés là, il était huit heures du matin,
à peine jour, il y avait une guillotine toute fraîche dressée et pour
public quelque douzaine de petits garçons groupés sur les tas
de pierres voisins autour de la machine inattendue ; vite, on a
tiré l'homme du panier, et, sans lui donner le temps de respirer,
440 furtivement, sournoisement, honteusement, on lui a escamoté[3]
sa tête. Cela s'appelle un acte public et solennel de haute justice.
Infâme dérision !

Comment donc les gens du roi comprennent-ils le mot civilisation ? Où en sommes-nous ? La justice ravalée aux stratagèmes
445 et aux supercheries ! la loi aux expédients[4] ! monstrueux !

C'est donc une chose bien redoutable qu'un condamné à
mort, pour que la société le prenne en traître de cette façon !

Soyons juste pourtant, l'exécution n'a pas été tout à fait
secrète. Le matin on a crié et vendu comme de coutume l'arrêt
450 de mort dans les carrefours de Paris. Il paraît qu'il y a des gens
qui vivent de cette vente. Vous entendez ? du crime d'un infor-
tuné, de son châtiment, de ses tortures, de son agonie, on fait
une denrée, un papier qu'on vend un sou. Concevez-vous rien

Notes

1. **Bicêtre** : à la fois prison et hôpital, proche de Paris.
2. **barrière** : à l'époque, porte d'entrée de Paris.

3. **escamoté** : enlevé.
4. **expédients** : moyens, manœuvres pour arriver à ses fins.

de plus hideux que ce sou, vert-de-grisé[1] dans le sang ? Qui est-ce donc qui le ramasse ?

Voilà assez de faits. En voilà trop. Est-ce que tout cela n'est pas horrible ? Qu'avez-vous à alléguer pour[2] la peine de mort ?

Nous faisons cette question sérieusement ; nous la faisons pour qu'on y réponde ; nous la faisons aux criminalistes[3], et non aux lettrés bavards. Nous savons qu'il y a des gens qui prennent l'excellence de la peine de mort pour texte à paradoxe comme tout autre thème. Il y en a d'autres qui n'aiment la peine de mort que parce qu'ils haïssent tel ou tel qui l'attaque. C'est pour eux une question quasi littéraire, une question de personnes, une question de noms propres. Ceux-là sont les envieux, qui ne font pas plus faute aux bons jurisconsultes[4] qu'aux grands artistes. Les Joseph Grippa ne manquent pas plus aux Filangieri que les Torregiani aux Michel-Ange et les Scudéry aux Corneille[5].

Ce n'est pas à eux que nous nous adressons, mais aux hommes de loi proprement dits, aux dialecticiens[6], aux raisonneurs, à ceux qui aiment la peine de mort pour la peine de mort, pour sa beauté, pour sa bonté, pour sa grâce.

Voyons, qu'ils donnent leurs raisons.

Ceux qui jugent et qui condamnent disent la peine de mort nécessaire. D'abord, – parce qu'il importe de retrancher de la communauté sociale un membre qui lui a déjà nui et qui pourrait lui nuire encore. – S'il ne s'agissait que de cela, la prison perpétuelle suffirait. À quoi bon la mort ? Vous objectez qu'on peut s'échapper d'une prison ? faites mieux votre ronde. Si vous

---

Notes

1. **vert-de-grisé :** couleur vert-de-gris.
2. **alléguer pour :** donner des arguments en faveur de.
3. **criminalistes :** juristes spécialisés en criminalité.
4. **jurisconsultes :** spécialistes des questions juridiques qui donnent des consultations.
5. Filangieri, Michel-Ange et Corneille sont de grands artistes enviés respectivement par Grippa, Torregiani et Scudéry.
6. **dialecticiens :** personnes qui utilisent une argumentation logique.

480 ne croyez pas à la solidité des barreaux de fer, comment osez-
vous avoir des ménageries¹ ?

Pas de bourreau où le geôlier suffit.

Mais, reprend-on, – il faut que la société se venge, que la
société punisse. – Ni l'un, ni l'autre. Se venger est de l'individu,
485 punir est de Dieu.

La société est entre deux. Le châtiment est au-dessus d'elle, la
vengeance au-dessous. Rien de si grand et de si petit ne lui sied.
Elle ne doit pas « punir pour se venger » ; elle doit corriger pour
améliorer. Transformez de cette façon la formule des criminal-
490 listes, nous la comprenons et nous y adhérons.

Reste la troisième et dernière raison, la théorie de l'exemple.
– Il faut faire des exemples ! il faut épouvanter par le spectacle
du sort réservé aux criminels ceux qui seraient tentés de les imi-
ter ! – Voilà bien à peu près textuellement la phrase éternelle dont
495 tous les réquisitoires des cinq cents parquets de France ne sont
que des variations plus ou moins sonores. Eh bien ! nous nions
d'abord qu'il y ait exemple. Nous nions que le spectacle des supplices produise l'effet qu'on en attend. Loin d'édifier le peuple, il
le démoralise, et ruine en lui toute sensibilité, partant toute vertu.
500 Les preuves abondent, et encombreraient notre raisonnement si
nous voulions en citer. Nous signalerons pourtant un fait entre
mille, parce qu'il est le plus récent. Au moment où nous écri-
vons, il n'a que dix jours de date. Il est du 5 mars, dernier jour
du carnaval. À Saint-Pol, immédiatement après l'exécution d'un
505 incendiaire nommé Louis Camus, une troupe de masques est
venue danser autour de l'échafaud encore fumant. Faites donc
des exemples ! le Mardi gras vous rit au nez.

Que si, malgré l'expérience, vous tenez à votre théorie routi-
nière de l'exemple, alors rendez-nous le seizième siècle, soyez
510 vraiment formidables², rendez-nous la variété des supplices,
rendez-nous Farinacci³, rendez-nous les tourmenteurs-jurés,

Illustration pour la préface du *Dernier Jour d'un condamné*
dans une édition populaire d'Eugène Hugues en 1883
(collection particulière).

rendez-nous le gibet, la roue, le bûcher, l'estrapade[1], l'essorillement[2], l'écartèlement, la fosse à enfouir vif, la cuve à bouillir vif ;
rendez-nous, dans tous les carrefours de Paris, comme une bou-
515 tique de plus ouverte parmi les autres, le hideux étal[3] du bourreau,
sans cesse garni de chair fraîche. Rendez-nous Montfaucon[4], ses
seize piliers de pierre, ses brutes assises, ses caves à ossements,
ses poutres, ses crocs, ses chaînes, ses brochettes de squelettes,
son éminence de plâtre tachetée de corbeaux, ses potences suc-
520 cursales[5], et l'odeur de cadavre que par le vent du nord-est il
répand à larges bouffées sur tout le faubourg du Temple. Rendez-
nous dans sa permanence et dans sa puissance ce gigantesque
appentis[6] du bourreau de Paris. À la bonne heure ! Voilà de
l'exemple en grand. Voilà de la peine de mort bien comprise.
525 Voilà un système de supplices qui a quelque proportion. Voilà
qui est horrible, mais qui est terrible.

Ou bien faites comme en Angleterre. En Angleterre, pays de
commerce, on prend un contrebandier sur la côte de Douvres,
on le pend pour l'exemple, pour l'exemple on le laisse accro-
530 ché au gibet ; mais, comme les intempéries de l'air pourraient
détériorer le cadavre, on l'enveloppe soigneusement d'une toile
enduite de goudron, afin d'avoir à le renouveler moins souvent.
Ô terre d'économie ! goudronner les pendus !

Cela pourtant a encore quelque logique. C'est la façon la plus
535 humaine de comprendre la théorie de l'exemple.

Mais vous, est-ce bien sérieusement que vous croyez faire
un exemple quand vous égorgillez misérablement un pauvre

Notes

1. estrapade : supplice qui consistait
à faire tomber l'accusé d'un mât attaché
à une corde soit dans l'eau, soit à
quelques pieds du sol.

2. essorillement : supplice consistant
à couper les oreilles.

3. étal : ici, boucherie.

4. Montfaucon : lieu sinistrement
célèbre, où les pendus n'étaient pas

détachés et se décomposaient
sur place.

5. potences succursales : potences
de remplacement.

6. gigantesque appentis : image
ironique car l'appentis est un petit
bâtiment qui prend appui sur
un autre plus grand.

homme dans le recoin le plus désert des boulevards extérieurs ?
En Grève, en plein jour, passe encore ; mais à la barrière Saint-
540 Jacques ! mais à huit heures du matin ! Qui est-ce qui passe là ?
Qui est-ce qui va là ? Qui est-ce qui sait que vous tuez un homme
là ? Qui est-ce qui se doute que vous faites un exemple là ? Un
exemple pour qui ? Pour les arbres du boulevard, apparemment.

Ne voyez-vous donc pas que vos exécutions publiques se font
545 en tapinois[1] ? Ne voyez-vous donc pas que vous vous cachez ?
Que vous avez peur et honte de votre œuvre ? Que vous bal-
butiez ridiculement votre *discite justitiam moniti*[2] ? Qu'au fond
vous êtes ébranlés, interdits[3], inquiets, peu certains d'avoir raison, gagnés par le doute général, coupant des têtes par routine
550 et sans trop savoir ce que vous faites ? Ne sentez-vous pas au
fond du cœur que vous avez tout au moins perdu le sentiment
moral et social de la mission de sang que vos prédécesseurs, les
vieux parlementaires, accomplissaient avec une conscience si
tranquille ? La nuit, ne retournez-vous pas plus souvent qu'eux
555 la tête sur votre oreiller ? D'autres avant vous ont ordonné des
exécutions capitales, mais ils s'estimaient dans le droit, dans le
juste, dans le bien. Jouvenel des Ursins se croyait un juge ; Élie
de Thorrette se croyait un juge ; Laubardemont, La Reynie et
Laffemas[4] eux-mêmes se croyaient des juges ; vous, dans votre for
560 intérieur, vous n'êtes pas bien sûrs de ne pas être des assassins !

Vous quittez la Grève pour la barrière Saint-Jacques, la foule
pour la solitude, le jour pour le crépuscule[5]. Vous ne faites plus
fermement ce que vous faites. Vous vous cachez, vous dis-je !

Toutes les raisons pour la peine de mort, les voilà donc démo-
565 lies. Voilà tous les syllogismes de parquets[6] mis à néant. Tous ces

---

Notes

1. **en tapinois** : en cachette.
2. *discite justitiam moniti* : « Apprenez
par mon exemple à respecter la justice. »
3. **interdits** : troublés.
4. **Jouvenel des Ursins [...] Laffemas** :
juges qui ont appliqué la peine de mort.

5. **crépuscule** : soir.
6. **syllogismes de parquets** :
raisonnements vains et sans fondement
propres aux discours judiciaires.

copeaux de réquisitoires, les voilà balayés et réduits en cendres. Le moindre attouchement de la logique dissout tous les mauvais raisonnements.

Que les gens du roi ne viennent donc plus nous demander des
570 têtes, à nous jurés, à nous hommes, en nous adjurant[1] d'une voix caressante au nom de la société à protéger, de la vindicte publique[2] à assurer, des exemples à faire. Rhétorique, ampoule[3], et néant que tout cela ! un coup d'épingle dans ces hyperboles[4], et vous les désenflez. Au fond de ce doucereux verbiage[5], vous ne trouvez
575 que dureté de cœur, cruauté, barbarie, envie de prouver son zèle, nécessité de gagner ses honoraires. Taisez-vous, mandarins[6] ! Sous la patte de velours du juge on sent les ongles du bourreau.

Il est difficile de songer de sang-froid à ce que c'est qu'un procureur royal criminel. C'est un homme qui gagne sa vie à
580 envoyer les autres à l'échafaud. C'est le pourvoyeur titulaire des places de Grève. Du reste, c'est un monsieur qui a des prétentions au style et aux lettres, qui est beau parleur ou croit l'être, qui récite au besoin un vers latin ou deux avant de conclure à la mort, qui cherche à faire de l'effet, qui intéresse son amour-
585 propre, ô misère ! là où d'autres ont leur vie engagée, qui a ses modèles à lui, ses types désespérants à atteindre, ses classiques, son Bellart, son Marchangy[7], comme tel poète a Racine et tel autre Boileau. Dans le débat, il tire du côté de la guillotine, c'est son rôle, c'est son état. Son réquisitoire, c'est son œuvre litté-
590 raire, il le fleurit de métaphores, il le parfume de citations, il faut que cela soit beau à l'audience, que cela plaise aux dames. Il a son bagage de lieux communs[8] encore très neufs pour la province, ses élégances d'élocution, ses recherches, ses raffinements d'écrivain. Il hait le mot propre presque autant que nos poètes

---

Notes

1. **adjurant** : demandant avec force.
2. **vindicte publique** : poursuite d'un crime au nom de la société.
3. **ampoule** : discours pompeux et vide.
4. **hyperboles** : exagérations.

5. **doucereux verbiage** : discours sans profondeur visant à manipuler l'auditoire.
6. **mandarins** : personnalités influentes.
7. **Bellart, Marchangy** : procureurs célèbres.
8. **lieux communs** : idées toutes faites.

tragiques de l'école de Delille. N'ayez pas peur qu'il appelle les choses par leur nom. Fi donc ! Il a pour toute idée dont la nudité vous révolterait des déguisements complets d'épithètes et d'adjectifs. Il rend M. Samson[1] présentable. Il gaze le couperet. Il estompe[2] la bascule. Il entortille le panier rouge dans une périphrase. On ne sait plus ce que c'est. C'est douceâtre et décent. Vous le représentez-vous, la nuit, dans son cabinet, élaborant à loisir et de son mieux cette harangue[3] qui fera dresser un échafaud dans six semaines ? Le voyez-vous suant sang et eau pour emboîter la tête d'un accusé dans le plus fatal article du Code ? Le voyez-vous scier avec une loi mal faite le cou d'un misérable ? Remarquez-vous comme il fait infuser dans un gâchis de tropes et de synecdoches[4] deux ou trois textes vénéneux pour en exprimer et en extraire à grand'peine la mort d'un homme ? N'est-il pas vrai que, tandis qu'il écrit, sous sa table, dans l'ombre, il a probablement le bourreau accroupi à ses pieds, et qu'il arrête de temps en temps sa plume pour lui dire, comme le maître à son chien : – Paix là ! paix là ! tu vas avoir ton os !

Du reste, dans la vie privée, cet homme du roi peut être un honnête homme, bon père, bon fils, bon mari, bon ami, comme disent toutes les épitaphes[5] du Père-Lachaise[6].

Espérons que le jour est prochain où la loi abolira ces fonctions funèbres. L'air seul de notre civilisation doit dans un temps donné user la peine de mort.

On est parfois tenté de croire que les défenseurs de la peine de mort n'ont pas bien réfléchi à ce que c'est. Mais pesez donc un peu à la balance de quelque crime que ce soit ce droit exorbitant que la société s'arroge d'ôter ce qu'elle n'a pas donné, cette peine, la plus irréparable des peines irréparables !

Notes

1. **M. Samson** : Charles-Henri Sanson, bourreau célèbre (les Sanson étaient bourreaux de père en fils).

2. **estompe** : atténue.

3. **cette harangue** : ce discours.

4. **un gâchis de tropes et de synecdoches** : un abus de figures de style rendant le discours pompeux.

5. **épitaphes** : inscriptions sur les tombes.

6. **Père-Lachaise** : grand cimetière parisien.

De deux choses l'une :

625 Ou l'homme que vous frappez est sans famille, sans parents, sans adhérents dans ce monde. Et dans ce cas, il n'a reçu ni éducation, ni instruction, ni soins pour son esprit, ni soins pour son cœur ; et alors de quel droit tuez-vous ce misérable orphelin ? Vous le punissez de ce que son enfance a rampé sur le sol sans

630 tige et sans tuteur ! Vous lui imputez à forfait[1] l'isolement où vous l'avez laissé ! De son malheur vous faites son crime ! Personne ne lui a appris à savoir ce qu'il faisait. Cet homme ignore. Sa faute est à sa destinée, non à lui. Vous frappez un innocent.

Ou cet homme a une famille ; et alors croyez-vous que le

635 coup dont vous l'égorgez ne blesse que lui seul ? que son père, que sa mère, que ses enfants n'en saigneront pas ? Non. En le tuant, vous décapitez toute sa famille. Et ici encore vous frappez des innocents.

Gauche et aveugle pénalité, qui, de quelque côté qu'elle se

640 tourne, frappe l'innocent !

Cet homme, ce coupable qui a une famille, séquestrez-le. Dans sa prison, il pourra travailler encore pour les siens. Mais comment les fera-t-il vivre du fond de son tombeau ? Et songez-vous sans frissonner à ce que deviendront ces petits garçons,

645 ces petites filles, auxquels vous ôtez leur père, c'est-à-dire leur pain ? Est-ce que vous comptez sur cette famille pour approvisionner dans quinze ans, eux le bagne, elles le musico[2] ? Oh ! les pauvres innocents !

Aux colonies, quand un arrêt de mort tue un esclave, il y

650 a mille francs d'indemnité pour le propriétaire de l'homme. Quoi ! vous dédommagez le maître, et vous n'indemnisez pas la famille ! Ici aussi ne prenez-vous pas un homme à ceux qui le possèdent ? N'est-il pas, à un titre bien autrement sacré que l'esclave vis-à-vis du maître, la propriété de son père, le bien de

655 sa femme, la chose de ses enfants ?

Notes

1. Vous lui imputez à forfait : vous lui donnez sans compter.

2. musico : établissement de prostitution.

Nous avons déjà convaincu votre loi d'assassinat. La voici convaincue de vol.

Autre chose encore. L'âme de cet homme, y songez-vous ?

Savez-vous dans quel état elle se trouve ? Osez-vous bien
660 l'expédier si lestement[1] ? Autrefois du moins, quelque foi circu-
lait dans le peuple ; au moment suprême, le souffle religieux qui
était dans l'air pouvait amollir le plus endurci ; un patient était
en même temps un pénitent[2] ; la religion lui ouvrait un monde
au moment où la société lui en fermait un autre ; toute âme
665 avait conscience de Dieu ; l'échafaud n'était qu'une frontière du
ciel. Mais quelle espérance mettez-vous sur l'échafaud maintenant que la grosse foule ne croit plus ? maintenant que toutes les
religions sont attaquées du dry-rot[3], comme ces vieux vaisseaux
qui pourrissent dans nos ports, et qui jadis peut-être ont décou-
670 vert des mondes ? maintenant que les petits enfants se moquent
de Dieu ? De quel droit lancez-vous dans quelque chose dont
vous doutez vous-mêmes les âmes obscures de vos condamnés,
ces âmes telles que Voltaire et M. Pigault-Lebrun[4] les ont faites ?
Vous les livrez à votre aumônier de prison, excellent vieillard
675 sans doute ; mais croit-il et fait-il croire ? Ne grossoie-t-il pas[5]
comme une corvée son œuvre sublime ? Est-ce que vous le prenez pour un prêtre, ce bonhomme qui coudoie le bourreau dans
la charrette ? Un écrivain plein d'âme et de talent l'a dit avant
nous : *C'est une horrible chose de conserver le bourreau après*
680 *avoir ôté le confesseur !*

Ce ne sont là, sans doute, que des « raisons sentimentales »,
comme disent quelques dédaigneux qui ne prennent leur logique
que dans leur tête. À nos yeux, ce sont les meilleures. Nous pré-
férons souvent les raisons du sentiment aux raisons de la raison.

Notes

1. **lestement** : rapidement.

2. **pénitent** : personne qui confesse
et regrette ses pêchés.

3. **du dry-rot** : de la pourriture.

4. **Voltaire et M. Pigault-Lebrun** :
auteurs connus pour leur critique
de toute religion.

5. **Ne grossoie-t-il pas** : n'expédie-t-il pas.

685 D'ailleurs les deux séries se tiennent toujours, ne l'oublions pas. Le *Traité des délits* est greffé sur *L'Esprit des lois*. Montesquieu a engendré Beccaria.

La raison est pour nous, le sentiment est pour nous, l'expérience est aussi pour nous. Dans les États modèles, où la peine
690 de mort est abolie, la masse des crimes capitaux suit d'année en année une baisse progressive. Pesez ceci.

Nous ne demandons cependant pas pour le moment une brusque et complète abolition de la peine de mort, comme celle où s'était si étourdiment engagée la Chambre des députés. Nous
695 désirons, au contraire, tous les essais, toutes les précautions, tous les tâtonnements de la prudence. D'ailleurs, nous ne voulons pas seulement l'abolition de la peine de mort, nous voulons un remaniement complet de la pénalité sous toutes ses formes, du haut en bas, depuis le verrou jusqu'au couperet, et le temps est
700 un des ingrédients qui doivent entrer dans une pareille œuvre pour qu'elle soit bien faite. Nous comptons développer ailleurs, sur cette matière, le système d'idées que nous croyons applicable. Mais, indépendamment des abolitions partielles pour le cas de fausse monnaie, d'incendie, de vols qualifiés, etc., nous
705 demandons que dès à présent, dans toutes les affaires capitales, le président soit tenu de poser au jury cette question : *L'accusé a-t-il agi par passion ou par intérêt ?* et que, dans le cas où le jury répondrait : *L'accusé a agi par passion*, il n'y ait pas condamnation à mort. Ceci nous épargnerait du moins quelques exécutions
710 révoltantes. Ulbach et Debacker seraient sauvés. On ne guillotinerait plus Othello[1].

Au reste, qu'on ne s'y trompe pas, cette question de la peine de mort mûrit tous les jours. Avant peu, la société entière la résoudra comme nous.

715 Que les criminalistes les plus entêtés y fassent attention, depuis un siècle la peine de mort va s'amoindrissant. Elle se fait presque douce. Signe de décrépitude. Signe de faiblesse. Signe

---

Note 1. **Othello :** personnage d'une tragédie de Shakespeare qui commit un crime passionnel.

de mort prochaine. La torture a disparu. La roue a disparu. La potence a disparu. Chose étrange ! la guillotine elle-même est un progrès.

M. Guillotin était un philanthrope.

Oui, l'horrible Thémis[1] dentue et vorace de Farinace et du Vouglans, de Delancre et d'Isaac Loisel, de d'Oppède et de Machault[2] dépérit. Elle maigrit. Elle se meurt.

Voilà déjà la Grève qui n'en veut plus. La Grève se réhabilite. La vieille buveuse de sang s'est bien conduite en juillet. Elle veut mener désormais meilleure vie et rester digne de sa dernière belle action. Elle qui s'était prostituée depuis trois siècles à tous les échafauds, la pudeur la prend. Elle a honte de son ancien métier. Elle veut perdre son vilain nom. Elle répudie le bourreau. Elle lave son pavé.

À l'heure qu'il est, la peine de mort est déjà hors de Paris. Or, disons-le bien ici, sortir de Paris c'est sortir de la civilisation.

Tous les symptômes sont pour nous. Il semble aussi qu'elle se rebute et qu'elle rechigne, cette hideuse machine, ou plutôt ce monstre fait de bois et de fer qui est à Guillotin ce que Galatée est à Pygmalion[3]. Vues d'un certain côté, les effroyables exécutions que nous avons détaillées plus haut sont d'excellents signes. La guillotine hésite. Elle en est à manquer son coup. Tout le vieil échafaudage de la peine de mort se détraque.

L'infâme machine partira de France, nous y comptons, et, s'il plaît à Dieu, elle partira en boitant, car nous tâcherons de lui porter de rudes coups.

Qu'elle aille demander l'hospitalité ailleurs, à quelque peuple barbare, non à la Turquie, qui se civilise, non aux sauvages, qui ne voudraient pas d'elle[4] ; mais qu'elle descende quelques

---

Notes

1. **Thémis :** déesse de la Justice.
2. **Farinace [...] Machault :** magistrats impitoyables.
3. **Galatée, Pygmalion :** dans la mythologie grecque, Pygmalion tomba amoureux de la statue de la nymphe Galatée qu'il était en train de façonner.
4. *« Le "parlement" d'Otahiti vient d'abolir la peine de mort. »* (Note de Victor Hugo.)

échelons encore de l'échelle de la civilisation, qu'elle aille en Espagne ou en Russie.

750 L'édifice social du passé reposait sur trois colonnes : le prêtre, le roi, le bourreau. Il y a déjà longtemps qu'une voix a dit : *Les dieux s'en vont !* Dernièrement une autre voix s'est élevée et a crié : *Les rois s'en vont !* Il est temps maintenant qu'une troisième voix s'élève et dise : *Le bourreau s'en va !*

Ainsi l'ancienne société sera tombée pierre à pierre ; ainsi la 755 providence aura complété l'écroulement du passé.

À ceux qui ont regretté les dieux, on a pu dire : Dieu reste. À ceux qui regrettent les rois, on peut dire : La patrie reste. À ceux qui regretteraient le bourreau, on n'a rien à dire.

Et l'ordre ne disparaîtra pas avec le bourreau ; ne le croyez 760 point. La voûte de la société future ne croulera pas pour n'avoir point cette clef hideuse. La civilisation n'est autre chose qu'une série de transformations successives. À quoi donc allez-vous assister ? à la transformation de la pénalité. La douce loi du Christ pénétrera enfin le Code et rayonnera à travers. On regardera le 765 crime comme une maladie, et cette maladie aura ses médecins qui remplaceront vos juges, ses hôpitaux qui remplaceront vos bagnes. La liberté et la santé se ressembleront. On versera le baume et l'huile où l'on appliquait le fer et le feu. On traitera par la charité ce mal qu'on traitait par la colère. Ce sera simple et 770 sublime. La croix substituée au gibet[1]. Voilà tout.

15 mars 1832.

Note 1. L'ordre religieux (la charité et l'amour de Dieu) remplacerait l'ordre judiciaire.

Le Dernier Jour d'un condamné

I

Bicêtre[1].

Condamné à mort !

Voilà cinq semaines que j'habite avec cette pensée, toujours seul avec elle, toujours glacé de sa présence, toujours courbé
5 sous son poids !

Autrefois, car il me semble qu'il y a plutôt des années que des semaines, j'étais un homme comme un autre homme. Chaque jour, chaque heure, chaque minute avait son idée. Mon esprit, jeune et riche, était plein de fantaisies. Il s'amusait à me les
10 dérouler les unes après les autres, sans ordre et sans fin, brodant d'inépuisables arabesques[2] cette rude et mince étoffe de la vie. C'étaient des jeunes filles, de splendides chapes[3] d'évêque, des batailles gagnées, des théâtres pleins de bruit et de lumière, et puis encore des jeunes filles et de sombres promenades

---

Notes

1. **Bicêtre** : à la fois prison et hôpital, proche de Paris.

2. **arabesques** : dessins d'inspiration orientale.

3. **chapes** : capes.

15 la nuit sous les larges bras des marronniers. C'était toujours fête dans mon imagination. Je pouvais penser à ce que je voulais, j'étais libre.

Maintenant je suis captif. Mon corps est aux fers[1] dans un cachot, mon esprit est en prison dans une idée. Une horrible,
20 une sanglante, une implacable idée ! Je n'ai plus qu'une pensée, qu'une conviction, qu'une certitude : condamné à mort !

Quoi que je fasse, elle est toujours là, cette pensée infernale, comme un spectre de plomb à mes côtés, seule et jalouse, chassant toute distraction, face à face avec moi misérable, et me
25 secouant de ses deux mains de glace quand je veux détourner la tête ou fermer les yeux. Elle se glisse sous toutes les formes où mon esprit voudrait la fuir, se mêle comme un refrain horrible à toutes les paroles qu'on m'adresse, se colle avec moi aux grilles hideuses de mon cachot ; m'obsède éveillé, épie mon sommeil
30 convulsif[2], et reparaît dans mes rêves sous la forme d'un couteau.

Je viens de m'éveiller en sursaut, poursuivi par elle et me disant : – Ah ! ce n'est qu'un rêve ! – Hé bien ! avant même que mes yeux lourds aient eu le temps de s'entr'ouvrir assez pour voir cette fatale[3] pensée écrite dans l'horrible réalité qui m'entoure,
35 sur la dalle mouillée et suante de ma cellule, dans les rayons pâles de ma lampe de nuit, dans la trame[4] grossière de la toile de mes vêtements, sur la sombre figure du soldat de garde dont la giberne[5] reluit à travers la grille du cachot, il me semble que déjà une voix a murmuré à mon oreille : – Condamné à mort !

> suite, p. 50

Notes
1. **aux fers** : en captivité.
2. **convulsif** : agité.
3. **fatale** : mortelle, funeste.
4. **la trame** : le tissage.
5. **giberne** : boîte à cartouches des soldats.

L'*incipit*

Questions sur le chapitre I (pages 45-46)

UN MYSTÉRIEUX CONDAMNÉ

1 Complétez ce tableau, lorsque cela est possible.

Qui parle ?	
Pour qui ?	
De quoi ?	
Pourquoi ?	
Quand ?	
D'où ?	

2 Quelles informations ne figurant pas dans ce tableau et généra-lement données dans un *incipit* devriez-vous connaître sur ce condamné ?

UN DOUBLE EMPRISONNEMENT

3 Expliquez la phrase « *Mon corps est aux fers dans un cachot, mon esprit est en prison dans une idée* » (l. 18-19) et justifiez notre titre « Un double emprisonnement ».

4 Quel couple de connecteurs temporels partage le texte en deux ? Quel temps verbal domine dans chacune de ces parties ?

5 À quoi le narrateur peut-il seulement penser dorénavant ?

6 Quelle liberté le narrateur regrette-t-il le plus ?

Son *alien*, son obsession

❼ Relevez quatre adjectifs qualifiant la pensée ou l'idée qui l'obsède. Classez-les du plus intense au moins intense.

❽ Cette pensée prend la forme de plusieurs images. Complétez ce tableau avec deux comparaisons et deux métaphores extraites du texte.

Comparaisons	Métaphores
–	–
–	–

❾ Qualifiez, à votre tour, cette idée obsessionnelle à l'aide d'une métaphore ou d'une comparaison.

Une écriture criante de souffrance

❿ Justifiez en une phrase le choix :
- de la 1re personne ;
- de la brièveté de certaines phrases ;
- des points d'exclamation.

⓫ Que remarquez-vous à la fin et au début du texte ? Cochez la bonne réponse pour qualifier la structure de ce texte.

Le texte est   ☐ structuré.   ☐ bouclé.

             ☐ limité.   ☐ emprisonné.

Quel rapport pouvez-vous établir avec l'univers carcéral ?

Le ton **pathétique** inspire au lecteur des émotions fortes et poignantes face à une souffrance intense. *fear*

Le ton **tragique** inspire au lecteur effroi et pitié face à une situation sans issue dans laquelle les personnages ne peuvent échapper à un destin souvent fatal.

Le ton **lyrique** est l'expression des états d'âme, des regrets, des plaintes, des émotions d'un narrateur.

Le ton **dramatique** maintient le lecteur dans un état d'attente et cultive le suspense.

12 Quelle est la tonalité de ce texte ? Cochez la ou les réponses qui vous semblent correspondre au chapitre I que vous avez lu.

☐ ton dramatique

☐ ton pathétique

☐ ton tragique

☐ ton lyrique

13 Quel effet produit sur le lecteur un texte ainsi écrit ?

AUTRE POINT DE VUE, AUTRE RÉALITÉ

14 Réécrivez ce premier chapitre en le racontant du point de vue d'un narrateur omniscient qui connaît donc l'identité du prisonnier et les motifs de sa condamnation.

II

1   C'était par une belle matinée d'août.

Il y avait trois jours que mon procès était entamé, trois jours
que mon nom et mon crime ralliaient[1] chaque matin une nuée
de spectateurs, qui venaient s'abattre sur les bancs de la salle
5 d'audience[2] comme des corbeaux autour d'un cadavre, trois
jours que toute cette fantasmagorie[3] des juges, des témoins, des
avocats, des procureurs du roi, passait et repassait devant moi,
tantôt grotesque, tantôt sanglante, toujours sombre et fatale. Les
deux premières nuits, d'inquiétude et de terreur, je n'en avais
10 pu dormir ; la troisième, j'en avais dormi d'ennui et de fatigue.
À minuit, j'avais laissé les jurés délibérant. On m'avait ramené
sur la paille de mon cachot, et j'étais tombé sur-le-champ dans
un sommeil profond, dans un sommeil d'oubli. C'étaient les premières heures de repos depuis bien des jours.

15   J'étais encore au plus profond de ce profond sommeil
lorsqu'on vint me réveiller. Cette fois il ne suffit point du pas
lourd et des souliers ferrés du guichetier[4], du cliquetis de son
nœud de clefs, du grincement rauque des verrous ; il fallut pour
me tirer de ma léthargie[5] sa rude voix à mon oreille et sa main
20 rude sur mon bras. – Levez-vous donc ! – J'ouvris les yeux, je
me dressai effaré sur mon séant[6]. En ce moment, par l'étroite et
haute fenêtre de ma cellule, je vis au plafond du corridor voisin,
seul ciel qu'il me fût donné d'entrevoir, ce reflet jaune où des
yeux habitués aux ténèbres d'une prison savent si bien recon-
25 naître le soleil. J'aime le soleil.

– Il fait beau, dis-je au guichetier.

Il resta un moment sans me répondre, comme ne sachant si
cela valait la peine de dépenser une parole ; puis avec quelque
effort il murmura brusquement :

Notes

1. **ralliaient** : rassemblaient.

2. **salle d'audience** : salle de tribunal.

3. **fantasmagorie** : spectacle fantastique
rempli d'illusions.

4. **guichetier** : gardien de prison.

5. **ma léthargie** : mon profond sommeil.

6. **je me dressai [...] sur mon séant** :
je me mis assis après avoir été couché.

30   – C'est possible.

Je demeurais immobile, l'esprit à demi endormi, la bouche souriante, l'œil fixé sur cette douce réverbération[1] dorée qui diaprait[2] le plafond.

– Voilà une belle journée, répétai-je.

35   – Oui, me répondit l'homme, on vous attend.

Ce peu de mots, comme le fil qui rompt le vol de l'insecte, me rejeta violemment dans la réalité. Je revis soudain, comme dans la lumière d'un éclair, la sombre salle des assises[3], le fer à cheval des juges chargé de haillons ensanglantés, les trois rangs de
40   témoins aux faces stupides, les deux gendarmes aux deux bouts de mon banc, et les robes noires s'agiter, et les têtes de la foule fourmiller au fond dans l'ombre, et s'arrêter sur moi le regard fixe de ces douze jurés, qui avaient veillé pendant que je dormais !

Je me levai ; mes dents claquaient, mes mains tremblaient
45   et ne savaient où trouver mes vêtements, mes jambes étaient faibles. Au premier pas que je fis, je trébuchai comme un portefaix[4] trop chargé. Cependant je suivis le geôlier.

Les deux gendarmes m'attendaient au seuil de la cellule. On me remit les menottes. Cela avait une petite serrure compliquée
50   qu'ils fermèrent avec soin. Je laissai faire : c'était une machine sur une machine.

Nous traversâmes une cour intérieure. L'air vif du matin me ranima. Je levai la tête. Le ciel était bleu, et les rayons chauds du soleil, découpés par les longues cheminées, traçaient de grands
55   angles de lumière au faîte[5] des murs hauts et sombres de la prison. Il faisait beau en effet.

Nous montâmes un escalier tournant en vis ; nous passâmes un corridor, puis un autre, puis un troisième ; puis une porte basse s'ouvrit. Un air chaud, mêlé de bruit, vint me

---

Notes

1. **réverbération** : lumière.
2. **diaprait** : ornait de couleurs variées.
3. **assises** : tribunal où sont jugés les crimes.
4. **portefaix** : porteur.
5. **au faîte** : en haut.

60 frapper au visage ; c'était le souffle de la foule dans la salle des
assises. J'entrai.

Il y eut à mon apparition une rumeur d'armes et de voix.
Les banquettes se déplacèrent bruyamment. Les cloisons cra-
quèrent ; et, pendant que je traversais la longue salle entre deux
65 masses de peuple murées de soldats, il me semblait que j'étais le
centre auquel se rattachaient les fils qui faisaient mouvoir[1] toutes
ces faces béantes[2] et penchées.

En cet instant je m'aperçus que j'étais sans fers ; mais je ne
pus me rappeler où ni quand on me les avait ôtés.

70 Alors il se fit un grand silence. J'étais parvenu à ma place. Au
moment où le tumulte[3] cessa dans la foule, il cessa aussi dans
mes idées. Je compris tout à coup clairement ce que je n'avais
fait qu'entrevoir confusément jusqu'alors, que le moment décisif
était venu, et que j'étais là pour entendre ma sentence.

75 L'explique qui pourra, de la manière dont cette idée me vint,
elle ne me causa pas de terreur. Les fenêtres étaient ouvertes ; l'air
et le bruit de la ville arrivaient librement du dehors ; la salle était
claire comme pour une noce ; les gais rayons du soleil traçaient
çà et là la figure lumineuse des croisées[4], tantôt allongée sur le
80 plancher, tantôt développée sur les tables, tantôt brisée à l'angle
des murs ; et de ces losanges éclatants aux fenêtres chaque rayon
découpait dans l'air un grand prisme de poussière d'or.

Les juges, au fond de la salle, avaient l'air satisfait, probablement de la joie d'avoir bientôt fini. Le visage du président,
85 doucement éclairé par le reflet d'une vitre, avait quelque chose
de calme et de bon ; et un jeune assesseur[5] causait presque gaie-
ment en chiffonnant son rabat[6] avec une jolie dame en chapeau
rose, placée par faveur derrière lui.

Notes

1. **mouvoir** : bouger.
2. **faces béantes** : visages sans expression.
3. **tumulte** : bruit.
4. **croisées** : fenêtres.
5. **assesseur** : magistrat adjoint.
6. **rabat** : col blanc rabattu sur la robe d'un magistrat ou d'un avocat.

Les jurés seuls paraissaient blêmes[1] et abattus, mais c'était
90 apparemment de fatigue d'avoir veillé toute la nuit. Quelques-
uns bâillaient. Rien, dans leur contenance[2], n'annonçait des
hommes qui viennent de porter une sentence de mort ; et sur
les figures de ces bons bourgeois je ne devinais qu'une grande
envie de dormir.

95 En face de moi, une fenêtre était toute grande ouverte.
J'entendais rire sur le quai des marchandes de fleurs ; et, au bord
de la croisée, une jolie petite plante jaune, toute pénétrée d'un
rayon de soleil, jouait avec le vent dans une fente de la pierre.

Comment une idée sinistre aurait-elle pu poindre parmi tant
100 de gracieuses sensations ? Inondé d'air et de soleil, il me fut
impossible de penser à autre chose qu'à la liberté ; l'espérance
vint rayonner en moi comme le jour autour de moi ; et, confiant,
j'attendis ma sentence comme on attend la délivrance et la vie.

Cependant mon avocat arriva. On l'attendait. Il venait de
105 déjeuner copieusement et de bon appétit. Parvenu à sa place, il
se pencha vers moi avec un sourire.

– J'espère, me dit-il.

– N'est-ce pas ? répondis-je, léger et souriant aussi.

– Oui, reprit-il ; je ne sais rien encore de leur déclaration,
110 mais ils auront sans doute écarté la préméditation, et alors ce ne
sera que les travaux forcés à perpétuité.

– Que dites-vous là, monsieur ? répliquai-je indigné ; plutôt
cent fois la mort !

Oui, la mort ! – Et d'ailleurs, me répétait je ne sais quelle voix
115 intérieure, qu'est-ce que je risque à dire cela ? A-t-on jamais prononcé sentence de mort autrement qu'à minuit, aux flambeaux,
dans une salle sombre et noire, et par une froide nuit de pluie et
d'hiver ? Mais au mois d'août, à huit heures du matin, un si beau
jour, ces bons jurés, c'est impossible ! Et mes yeux revenaient se
120 fixer sur la jolie fleur jaune au soleil.

Notes

1. blêmes : blancs.   **2. contenance :** attitude.

Tout à coup le président, qui n'attendait que l'avocat, m'invita à me lever. La troupe porta les armes ; comme par un mouvement électrique, toute l'assemblée fut debout au même instant. Une figure insignifiante et nulle, placée à une table au-dessous du tribunal, c'était, je pense, le greffier[1], prit la parole, et lut le verdict que les jurés avaient prononcé en mon absence. Une sueur froide sortit de tous mes membres ; je m'appuyai au mur pour ne pas tomber.

– Avocat, avez-vous quelque chose à dire sur l'application de la peine ? demanda le président.

J'aurais eu, moi, tout à dire, mais rien ne me vint. Ma langue resta collée à mon palais.

Le défenseur se leva.

Je compris qu'il cherchait à atténuer la déclaration du jury, et à mettre dessous, au lieu de la peine qu'elle provoquait, l'autre peine, celle que j'avais été si blessé de lui voir espérer.

Il fallut que l'indignation fût bien forte, pour se faire jour à travers les mille émotions qui se disputaient ma pensée. Je voulus répéter à haute voix ce que je lui avais déjà dit : Plutôt cent fois la mort ! Mais l'haleine me manqua, et je ne pus que l'arrêter rudement par le bras, en criant avec une force convulsive : Non !

Le procureur général[2] combattit[3] l'avocat, et je l'écoutai avec une satisfaction stupide. Puis les juges sortirent, puis ils rentrèrent, et le président me lut mon arrêt.

– Condamné à mort ! dit la foule ; et, tandis qu'on m'emmenait, tout ce peuple se rua[4] sur mes pas avec le fracas d'un édifice qui se démolit. Moi, je marchais, ivre et stupéfait. Une révolution[5] venait de se faire en moi. Jusqu'à l'arrêt de mort, je m'étais

---

Notes

1. greffier : fonctionnaire des tribunaux chargé de noter ce qui se dit et se fait lors des audiences.

2. procureur général : magistrat qui, au nom de l'ordre public, propose la peine à infliger à l'accusé.

3. combattit : s'opposa.

4. se rua : se précipita.

5. Une révolution : ici, un grand bouleversement.

senti respirer, palpiter, vivre dans le même milieu que les autres
150 hommes ; maintenant je distinguais clairement comme une clô-
ture entre le monde et moi. Rien ne m'apparaissait plus sous le
même aspect qu'auparavant. Ces larges fenêtres lumineuses, ce
beau soleil, ce ciel pur, cette jolie fleur, tout cela était blanc et
pâle, de la couleur d'un linceul[1]. Ces hommes, ces femmes, ces
155 enfants qui se pressaient sur mon passage, je leur trouvais des
airs de fantômes.

Au bas de l'escalier, une noire et sale voiture grillée m'attendait. Au moment d'y monter, je regardai au hasard dans la place.
– Un condamné à mort ! criaient les passants en courant vers
160 la voiture. À travers le nuage qui me semblait s'être interposé
entre les choses et moi, je distinguai deux jeunes filles qui me
suivaient avec des yeux avides. – Bon, dit la plus jeune en battant
des mains, ce sera dans six semaines !

> **suite, p. 58**

Note

1. linceul : drap blanc dont on recouvre les morts.

La sentence

Questions sur le chapitre II (pages 50 à 55)

DU TRIBUNAL VERS LA PRISON DE BICÊTRE

❶ Relevez tous les mots se rapportant à la justice. Comment appelle-t-on cet ensemble de termes ?

❷ Complétez la phrase suivante à l'aide de deux termes appartenant à cet ensemble : *L'accusé comprend qu'il sera condamné à mort au moment du ...., mais il entend la sentence de mort lors de la lecture de l'................................ par le président.*

❸ Classez en deux catégories les personnes qui s'opposent au condamné :
— les personnes ayant une fonction précise (ex. : le juge) ;
— les personnes non identifiées ou anonymes.

UN AVANT ET UN APRÈS

❹ Complétez ce tableau en trouvant les équivalents figurant dans le chapitre II.

	Avant l'arrêt de mort	Après...
La foule	Hommes, femmes, enfants.	
Le monde extérieur	Vivant, beau, gai.	
Le narrateur	Vivant (palpiter, respirer...).	

❺ D'après ce tableau, nommez l'une des métaphores filées présentes dans ce passage.

6 À partir de quel moment le narrateur emploie-t-il le pronom personnel « *moi* » ? Pourquoi ?

7 Soulignez, dans chacun des extraits suivants, tous les sujets des verbes. Quelle différence constatez-vous entre les deux extraits ?

> « J'étais parvenu à ma place. [...] Je compris tout à coup clairement ce que je n'avais fait qu'entrevoir confusément jusqu'alors, que le moment décisif était venu, et que j'étais là pour entendre ma sentence. »

> « Condamné à mort ! dit la foule ; et, tandis qu'on m'emmenait, tout ce peuple se rua sur mes pas avec le fracas d'un édifice qui se démolit. [...] Rien ne m'apparaissait plus sous le même aspect qu'auparavant. [...] Au bas de l'escalier, une noire et sale voiture grillée m'attendait. »

IL FUT POURTANT DÉFENDU...

8 Un procureur raconte à sa femme la condamnation d'un accusé, l'après-midi même, à la peine capitale. Contrairement à lui, celle-ci est partisane de l'abolition de la peine de mort et elle s'oppose donc aux propos de son mari.

TRIBUNAUX D'HIER, TRIBUNAUX D'AUJOURD'HUI

9 Faites des recherches sur le fonctionnement d'un tribunal d'assises aujourd'hui en France et comparez avec l'époque de Victor Hugo.

III

1   Condamné à mort !

Eh bien, pourquoi non ? *Les hommes*, je me rappelle l'avoir lu dans je ne sais quel livre où il n'y avait que cela de bon[1], *les hommes sont tous condamnés à mort avec des sursis[2] indéfinis.*
5 Qu'y a-t-il donc de si changé à ma situation ?

Depuis l'heure où mon arrêt m'a été prononcé, combien sont morts qui s'arrangeaient pour une longue vie ! Combien m'ont devancé qui, jeunes, libres et sains, comptaient bien aller voir tel jour tomber ma tête en place de Grève[3] ! Combien d'ici là peut-
10 être qui marchent et respirent au grand air, entrent et sortent à leur gré, et qui me devanceront encore !

Et puis, qu'est-ce que la vie a donc de si regrettable pour moi ? En vérité, le jour sombre et le pain noir du cachot, la portion de bouillon maigre puisée au baquet[4] des galériens[5], être
15 rudoyé[6], moi qui suis raffiné par l'éducation, être brutalisé des guichetiers et des gardes-chiourme[7], ne pas voir un être humain qui me croie digne d'une parole et à qui je le rende, sans cesse tressaillir et de ce que j'ai fait et de ce qu'on me fera : voilà à peu près les seuls biens que puisse m'enlever le bourreau.
20   Ah, n'importe, c'est horrible !

IV

1   La voiture noire me transporta ici, dans ce hideux Bicêtre.

Vu de loin, cet édifice a quelque majesté. Il se déroule à l'horizon, au front d'une colline, et à distance garde quelque chose de son ancienne splendeur, un air de château de roi. Mais

---

Notes

1. Clin d'œil de la part de Victor Hugo, puisque la citation est extraite de son premier roman *Han d'Islande*.

2. *sursis* : remises de peine.

3. **place de Grève** : à Paris, place où se déroulaient les exécutions capitales.

4. **au baquet** : à la cuve.

5. **galériens** : personnes condamnées aux galères, au bagne.

6. **rudoyé** : malmené.

7. **guichetiers, gardes-chiourme** : gardiens de prison.

5 à mesure que vous approchez, le palais devient masure¹. Les pignons dégradés blessent l'œil. Je ne sais quoi de honteux et d'appauvri salit ces royales façades ; on dirait que les murs ont une lèpre. Plus de vitres, plus de glaces aux fenêtres ; mais de massifs barreaux de fer entre-croisés, auxquels se colle çà et là
10 quelque hâve figure² d'un galérien ou d'un fou.

C'est la vie vue de près.

V

1 À peine arrivé, des mains de fer s'emparèrent de moi. On multiplia les précautions ; point de couteau, point de fourchette pour mes repas ; la camisole de force, une espèce de sac de toile à voilure, emprisonna mes bras ; on répondait de ma vie. Je
5 m'étais pourvu en cassation³. On pouvait avoir pour six ou sept semaines cette affaire onéreuse⁴, et il importait de me conserver sain et sauf à la place de Grève.

Les premiers jours on me traita avec une douceur qui m'était horrible. Les égards⁵ d'un guichetier sentent l'échafaud. Par bon-
10 heur, au bout de peu de jours, l'habitude reprit le dessus ; ils me confondirent avec les autres prisonniers dans une commune brutalité, et n'eurent plus de ces distinctions inaccoutumées de politesse qui me remettaient sans cesse le bourreau sous les yeux. Ce ne fut pas la seule amélioration. Ma jeunesse, ma doci-
15 lité, les soins de l'aumônier⁶ de la prison, et surtout quelques mots en latin que j'adressai au concierge, qui ne les comprit pas, m'ouvrirent la promenade une fois par semaine avec les autres détenus, et firent disparaître la camisole où j'étais para-lysé. Après bien des hésitations, on m'a aussi donné de l'encre,
20 du papier, des plumes, et une lampe de nuit.

Notes

1. **masure** : maison délabrée.
2. **hâve figure** : visage blanc, maladif.
3. **Je m'étais pourvu en cassation** : j'avais demandé la révision de mon procès.

4. **onéreuse** : coûteuse.
5. **égards** : gestes respectueux.
6. **aumônier** : prêtre fonctionnaire qui s'occupe de ce qui touche à la religion dans un établissement public.

Tous les dimanches, après la messe, on me lâche dans le préau, à l'heure de la récréation. Là, je cause avec les détenus : il le faut bien. Ils sont bonnes gens, les misérables. Ils me content leurs *tours*, ce serait à faire horreur, mais je sais qu'ils se
25 vantent. Ils m'apprennent à parler argot, à *rouscailler bigorne*, comme ils disent. C'est toute une langue entée[1] sur la langue générale comme une espèce d'excroissance hideuse, comme une verrue. Quelquefois une énergie singulière, un pittoresque effrayant : *il y a du raisiné sur le trimar* (du sang sur le chemin),
30 *épouser la veuve* (être pendu), comme si la corde du gibet était veuve de tous les pendus. La tête d'un voleur a deux noms : *la sorbonne*, quand elle médite, raisonne et conseille le crime ; *la tronche*, quand le bourreau la coupe. Quelquefois de l'esprit de vaudeville[2] : *un cachemire d'osier* (une hotte de chiffonnier), *la*
35 *menteuse* (la langue) ; et puis partout, à chaque instant, des mots bizarres, mystérieux, laids et sordides, venus on ne sait d'où : *le taule* (le bourreau), *la cône* (la mort), *la placarde* (la place des exécutions). On dirait des crapauds et des araignées. Quand on entend parler cette langue, cela fait l'effet de quelque chose de
40 sale et de poudreux[3], d'une liasse de haillons que l'on secouerait devant vous.

Du moins, ces hommes-là me plaignent, ils sont les seuls. Les geôliers, les guichetiers, les porte-clefs[4], – je ne leur en veux pas, – causent et rient, et parlent de moi, devant moi, comme
45 d'une chose.

VI

1 Je me suis dit :

– Puisque j'ai le moyen d'écrire, pourquoi ne le ferais-je pas ? Mais quoi écrire ? Pris entre quatre murailles de pierre nue et froide, sans liberté pour mes pas, sans horizon pour mes yeux,

---

Notes
1. **entée** : greffée.
2. **vaudeville** : comédie.
3. **poudreux** : poussiéreux.
4. **porte-clefs** : gardiens s'occupant des clés.

5 pour unique distraction machinalement occupé tout le jour à suivre la marche lente de ce carré blanchâtre que le judas[1] de ma porte découpe vis-à-vis sur le mur sombre, et, comme je le disais tout à l'heure, seul à seul avec une idée, une idée de crime et de châtiment, de meurtre et de mort ! est-ce que je puis
10 avoir quelque chose à dire, moi qui n'ai plus rien à faire dans ce monde ? Et que trouverai-je dans ce cerveau flétri et vide qui vaille la peine d'être écrit ?

Pourquoi non ? Si tout, autour de moi, est monotone et décoloré, n'y a-t-il pas en moi une tempête, une lutte, une tragédie ?
15 Cette idée fixe qui me possède ne se présente-t-elle pas à moi à chaque heure, à chaque instant, sous une nouvelle forme, toujours plus hideuse et plus ensanglantée à mesure que le terme approche ? Pourquoi n'essaierais-je pas de me dire à moi-même tout ce que j'éprouve de violent et d'inconnu dans la situation
20 abandonnée où me voilà ? Certes, la matière est riche ; et, si abrégée[2] que soit ma vie, il y aura bien encore dans les angoisses, dans les terreurs, dans les tortures qui la rempliront, de cette heure à la dernière, de quoi user cette plume et tarir[3] cet encrier.
– D'ailleurs, ces angoisses, le seul moyen d'en moins souffrir,
25 c'est de les observer, et les peindre m'en distraira.

Et puis, ce que j'écrirai ainsi ne sera peut-être pas inutile. Ce journal de mes souffrances, heure par heure, minute par minute, supplice par supplice, si j'ai la force de le mener jusqu'au moment où il me sera physiquement impossible de continuer,
30 cette histoire, nécessairement inachevée, mais aussi complète que possible, de mes sensations, ne portera-t-elle point avec elle un grand et profond enseignement[4] ? N'y aura-t-il pas dans ce procès-verbal[5] de la pensée agonisante, dans cette progression toujours croissante de douleurs, dans cette espèce d'autopsie
35 intellectuelle d'un condamné, plus d'une leçon pour ceux qui

---

1. **judas :** ouverture dans une porte pour voir sans être vu.

2. **abrégée :** courte.

3. **tarir :** vider.

4. **enseignement :** ici, une morale.

5. **procès-verbal :** compte-rendu.

condamnent ? Peut-être cette lecture leur rendra-t-elle la main moins légère, quand il s'agira quelque autre fois de jeter une tête qui pense, une tête d'homme, dans ce qu'ils appellent la balance de la justice ? Peut-être n'ont-ils jamais réfléchi, les malheureux,

40 à cette lente succession de tortures que renferme la formule expéditive[1] d'un arrêt de mort ? Se sont-ils jamais seulement arrêtés à cette idée poignante que dans l'homme qu'ils retranchent[2] il y a une intelligence ; une intelligence qui avait compté sur la vie, une âme qui ne s'est point disposée pour la mort ? Non.

45 Ils ne voient dans tout cela que la chute verticale d'un couteau triangulaire, et pensent sans doute que pour le condamné il n'y a rien avant, rien après.

Ces feuilles les détromperont[3]. Publiées peut-être un jour, elles arrêteront quelques moments leur esprit sur les souffrances

50 de l'esprit ; car ce sont celles-là qu'ils ne soupçonnent pas. Ils sont triomphants de pouvoir tuer sans presque faire souffrir le corps. Hé ! c'est bien de cela qu'il s'agit ! Qu'est-ce que la douleur physique près de la douleur morale ! Horreur et pitié, des lois faites ainsi ! Un jour viendra, et peut-être ces mémoires, der-

55 niers confidents d'un misérable, y auront-ils contribué...

À moins qu'après ma mort le vent ne joue dans le préau avec ces morceaux de papier souillés de boue, ou qu'ils n'aillent pourrir à la pluie, collés en étoiles à la vitre cassée d'un guichetier.

VII

1 Que ce que j'écris ici puisse être un jour utile à d'autres, que cela arrête le juge prêt à juger, que cela sauve des malheureux, innocents ou coupables, de l'agonie à laquelle je suis condamné, pourquoi ? à quoi bon ? qu'importe ? Quand ma

5 tête aura été coupée, qu'est-ce que cela me fait qu'on en coupe d'autres ? Est-ce que vraiment j'ai pu penser ces folies ? Jeter bas[4]

Notes

1. **expéditive** : rapide et irréfléchie.
2. **qu'ils retranchent** : dont ils coupent la tête.
3. **les détromperont** : leur diront le contraire.
4. **Jeter bas** : détruire.

l'échafaud après que j'y aurai monté ! je vous demande un peu ce qui m'en reviendra.

Quoi ! le soleil, le printemps, les champs pleins de fleurs, les oiseaux qui s'éveillent le matin, les nuages, les arbres, la nature, la liberté, la vie, tout cela n'est plus à moi !

Ah ! c'est moi qu'il faudrait sauver ! – Est-il bien vrai que cela ne se peut, qu'il faudra mourir demain, aujourd'hui peut-être, que cela est ainsi ? Ô Dieu ! l'horrible idée à se briser la tête au mur de son cachot !

> suite, p. 66

Le projet d'écriture

Questions sur le chapitre VII (pages 62-63)

POURQUOI, POUR QUI ÉCRIRE ?

1 À qui pourrait servir ce qu'écrit le condamné ?

2 Qui pourrait être influencé par cette lecture ?

3 Retrouvez le paragraphe du chapitre VI qui exprime la même idée.

4 Donnez un titre à chaque paragraphe du chapitre VII.

À QUOI BON ?

5 Quelle idée obsessionnelle semble compromettre ce projet ?

6 Certains procédés d'écriture permettent d'exprimer cette obsession tragique. Complétez ce tableau.

Procédé d'écriture et nature de mot	Exemples	Effets produits
	Ah, Ô	Cri pathétique.
Pronom ou adverbe interrogatif isolés.		Écriture hachée, haletante, renvoyant à la bouffée d'angoisse du condamné.
	Toutes les phrases, sauf une, sont ponctuées par le signe *?* ou *!*.	
Procédé d'accumulation et de gradation, antithèse.		Fantasme et démultiplication d'un monde perdu à tout jamais.

64 | *Le Dernier Jour d'un condamné* de Victor Hugo

Procédés d'écriture	Exemples	Effets produits
Indices de temps.		Destin inéluctable du condamné dont la vie obéit à un compte à rebours tragique.

AUTEUR ET NARRATEUR UNIS DANS LA MÊME CAUSE

❼ Dans un paragraphe d'une quinzaine de lignes, expliquez dans quelle mesure, aux chapitres VI et VII, l'auteur exprime sa position par rapport à la peine de mort à travers le discours du narrateur. Vous relirez le début de la préface de 1832 (l. 1 à 52) et en citerez des extraits pour appuyer vos propos.

VIII

1 Comptons ce qui me reste :

Trois jours de délai après l'arrêt prononcé pour le pourvoi en cassation[1].

Huit jours d'oubli au parquet[2] de la cour d'assises, après quoi
5 les *pièces*, comme ils disent, sont envoyées au ministre.

Quinze jours d'attente chez le ministre, qui ne sait seulement pas qu'elles existent, et qui cependant est supposé les transmettre, après examen, à la Cour de cassation.

Là, classement, numérotage, enregistrement ; car la guillotine
10 est encombrée[3], et chacun ne doit passer qu'à son tour.

Quinze jours pour veiller à ce qu'il ne vous soit pas fait de passe-droit[4].

Enfin la cour s'assemble, d'ordinaire un jeudi, rejette vingt pourvois en masse, et renvoie le tout au ministre, qui renvoie au
15 procureur général, qui renvoie au bourreau. Trois jours.

Le matin du quatrième jour, le substitut du procureur général se dit, en mettant sa cravate : – Il faut pourtant que cette affaire finisse. – Alors, si le substitut[5] du greffier n'a pas quelque déjeuner d'amis qui l'en empêche, l'ordre d'exécution est minuté[6],
20 rédigé, mis au net, expédié, et le lendemain dès l'aube on entend dans la place de Grève clouer une charpente, et dans les carrefours hurler à pleine voix des crieurs[7] enroués.

En tout six semaines. La petite fille avait raison.

Or, voilà cinq semaines au moins, six peut-être, je n'ose
25 compter, que je suis dans ce cabanon[8] de Bicêtre, et il me semble qu'il y a trois jours c'était jeudi.

Notes

1. **pourvoi en cassation** : demande de révision du procès.

2. **parquet** : lieu réservé aux juges et autres magistrats.

3. **la guillotine est encombrée** : beaucoup de condamnés attendent d'être exécutés.

4. **passe-droit** : privilège contraire au droit.

5. **substitut** : remplaçant.

6. **minuté** : enregistré.

7. **crieurs** : personnes qui criaient dans la rue les nouvelles fraîches.

8. **cabanon** : cellule.

IX

Je viens de faire mon testament.

À quoi bon ? Je suis condamné aux frais[1], et tout ce que j'ai y suffira à peine. La guillotine, c'est fort cher.

Je laisse une mère, je laisse une femme, je laisse un enfant.

Une petite fille de trois ans, douce, rose, frêle, avec de grands yeux noirs et de longs cheveux châtains.

Elle avait deux ans et un mois quand je l'ai vue pour la dernière fois.

Ainsi, après ma mort, trois femmes, sans fils, sans mari, sans père ; trois orphelines de différente espèce ; trois veuves du fait de la loi.

J'admets que je sois justement puni ; ces innocentes, qu'ont-elles fait ? N'importe ; on les déshonore, on les ruine. C'est la justice.

Ce n'est pas que ma pauvre vieille mère m'inquiète ; elle a soixante-quatre ans, elle mourra du coup. Ou si elle va quelques jours encore, pourvu que jusqu'au dernier moment elle ait un peu de cendre chaude dans sa chaufferette[2], elle ne dira rien.

Ma femme ne m'inquiète pas non plus ; elle est déjà d'une mauvaise santé et d'un esprit faible. Elle mourra aussi.

À moins qu'elle ne devienne folle. On dit que cela fait vivre ; mais du moins, l'intelligence ne souffre pas ; elle dort, elle est comme morte.

Mais ma fille, mon enfant, ma pauvre petite Marie, qui rit, qui joue, qui chante à cette heure et ne pense à rien, c'est celle-là qui me fait mal !

Notes

1. aux frais : à payer moi-même les frais de justice.

2. chaufferette : boîte à trous dans laquelle on mettait des braises ou des cendres chaudes pour réchauffer les pieds.

X

1   Voici ce que c'est que mon cachot :

Huit pieds carrés[1]. Quatre murailles de pierre de taille qui s'appuient à angle droit sur un pavé de dalles exhaussé d'un degré[2] au-dessus du corridor extérieur.

5   À droite de la porte, en entrant, une espèce d'enfoncement qui fait la dérision d'une alcôve[3]. On y jette une botte de paille où le prisonnier est censé reposer et dormir, vêtu d'un pantalon de toile et d'une veste de coutil[4], hiver comme été.

Au-dessus de ma tête, en guise de[5] ciel, une noire voûte en
10 *ogive* – c'est ainsi que cela s'appelle – à laquelle d'épaisses toiles d'araignée pendent comme des haillons[6].

Du reste, pas de fenêtres, pas même de soupirail[7]. Une porte où le fer cache le bois.

Je me trompe ; au centre de la porte, vers le haut, une ouver-
15 ture de neuf pouces carrés[8], coupée d'une grille en croix, et que le guichetier peut fermer la nuit.

Au-dehors, un assez long corridor, éclairé, aéré au moyen de soupiraux étroits au haut du mur, et divisé en compartiments de maçonnerie[9] qui communiquent entre eux par une série de portes
20 cintrées et basses ; chacun de ces compartiments sert en quelque sorte d'antichambre à un cachot pareil au mien. C'est dans ces cachots que l'on met les forçats condamnés par le directeur de la prison à des peines de discipline. Les trois premiers cabanons sont réservés aux condamnés à mort, parce qu'étant plus voisins
25 de la geôle ils sont plus commodes pour le geôlier.

Notes

1. **Huit pieds carrés** : un peu plus de 2 m².

2. **exhaussé d'un degré** : surélevé d'une marche.

3. **qui fait la dérision d'une alcôve** : qui ressemble vaguement à une alcôve (renfoncement où l'on met un lit).

4. **coutil** : grosse toile de coton.

5. **en guise de** : au lieu de.

6. **haillons** : vieux vêtements déchirés.

7. **soupirail** : ouverture dans le soubassement d'un rez-de-chaussée pour donner de l'air ou du jour aux caves ou pièces en sous-sol.

8. **neuf pouces carrés** : environ 25 cm².

9. **compartiments de maçonnerie** : petits murs.

Ces cachots sont tout ce qui reste de l'ancien château de Bicêtre tel qu'il fut bâti dans le quinzième siècle par le cardinal de Winchester, le même qui fit brûler Jeanne d'Arc. J'ai entendu dire cela à des *curieux* qui sont venus me voir l'autre jour dans
30 ma loge[1], et qui me regardaient à distance comme une bête de la ménagerie[2]. Le guichetier a eu cent sous.

J'oubliais de dire qu'il y a nuit et jour un factionnaire[3] de garde à la porte de mon cachot, et que mes yeux ne peuvent se lever vers la lucarne carrée sans rencontrer ses deux yeux fixes
35 toujours ouverts.

Du reste, on suppose qu'il y a de l'air et du jour dans cette boîte de pierre.

XI

1 Puisque le jour ne paraît pas encore, que faire de la nuit ? Il m'est venu une idée. Je me suis levé et j'ai promené ma lampe sur les quatre murs de ma cellule. Ils sont couverts d'écritures, de dessins, de figures bizarres, de noms qui se mêlent et s'effacent
5 les uns les autres. Il semble que chaque condamné ait voulu laisser trace, ici du moins. C'est du crayon, de la craie, du charbon, des lettres noires, blanches, grises, souvent de profondes entailles dans la pierre, çà et là des caractères rouillés qu'on dirait écrits avec du sang. Certes, si j'avais l'esprit plus libre, je prendrais
10 intérêt à ce livre étrange qui se développe page à page à mes yeux sur chaque pierre de ce cachot. J'aimerais à recomposer un tout de ces fragments[4] de pensée, épars[5] sur la dalle ; à retrouver chaque homme sous chaque nom ; à rendre le sens et la vie à ces inscriptions mutilées, à ces phrases démembrées, à ces mots
15 tronqués[6], corps sans tête comme ceux qui les ont écrits.

Notes

1. **ma loge :** mon cachot (ironique).
2. **ménagerie :** zoo.
3. **factionnaire :** gardien.
4. **fragments :** petits bouts.

5. **épars :** dispersés.
6. **tronqués :** dont on a retranché une partie.

À la hauteur de mon chevet[1], il y a deux cœurs enflammés, percés d'une flèche, et au-dessus : *Amour pour la vie*. Le malheureux ne prenait pas un long engagement.

20 À côté, une espèce de chapeau à trois cornes avec une petite figure grossièrement dessinée au-dessous, et ces mots : *Vive l'Empereur ! 1824*[2].

Encore des cœurs enflammés, avec cette inscription, caractéristique dans une prison : *J'aime et j'adore Mathieu Danvin*. Jacques.

25 Sur le mur opposé on lit ce nom : *Papavoine*[3]. Le *P* majuscule est brodé d'arabesques et enjolivé avec soin.

Un couplet d'une chanson obscène[4].

Un bonnet de liberté sculpté assez profondément dans la pierre, avec ceci dessous : – *Bories*[5]. – *La République*. C'était un 30 des quatre sous-officiers de La Rochelle. Pauvre jeune homme ! Que leurs prétendues nécessités politiques sont hideuses ! pour une idée, pour une rêverie, pour une abstraction[6], cette horrible réalité qu'on appelle la guillotine ! Et moi qui me plaignais, moi, misérable qui ai commis un véritable crime, qui ai versé du sang !

35 Je n'irai pas plus loin dans ma recherche. – Je viens de voir, crayonnée en blanc au coin du mur, une image épouvantable, la figure de cet échafaud qui, à l'heure qu'il est, se dresse peut-être pour moi. – La lampe a failli me tomber des mains.

XII

1 Je suis revenu m'asseoir précipitamment sur ma paille, la tête dans les genoux. Puis mon effroi d'enfant s'est dissipé, et une étrange curiosité m'a repris de continuer la lecture de mon mur.

Notes

1. chevet : lit.

2. Anachronisme puisque l'Empereur, Napoléon Ier, est mort en 1821.

3. *Papavoine* : criminel reconnu coupable du meurtre de deux garçonnets. Exécuté le 25 mars 1825.

4. obscène : indécente.

5. Jean-François Bories fut accusé, avec ses trois autres compagnons, d'avoir voulu renverser la monarchie sous la Restauration.

6. abstraction : théorie.

À côté du nom de Papavoine j'ai arraché une énorme toile d'araignée, tout épaissie par la poussière et tendue à l'angle de la muraille. Sous cette toile il y avait quatre ou cinq noms parfaitement lisibles, parmi d'autres dont il ne reste rien qu'une tache sur le mur. – DAUTUN, 1815. – POULAIN, 1818. – JEAN MARTIN, 1821. – CASTAING, 1823. J'ai lu ces noms, et de lugubres souvenirs me sont venus : Dautun, celui qui a coupé son frère en quartiers, et qui allait la nuit dans Paris jetant la tête dans une fontaine et le tronc dans un égout ; Poulain, celui qui a assassiné sa femme ; Jean Martin, celui qui a tiré un coup de pistolet à son père au moment où le vieillard ouvrait une fenêtre ; Castaing, ce médecin qui a empoisonné son ami, et qui, le soignant dans cette dernière maladie qu'il lui avait faite, au lieu de remède lui redonnait du poison ; et auprès de ceux-là, Papavoine, l'horrible fou qui tuait les enfants à coups de couteau sur la tête !

Voilà, me disais-je, et un frisson de fièvre me montait dans les reins, voilà quels ont été avant moi les hôtes de cette cellule. C'est ici, sur la même dalle où je suis, qu'ils ont pensé leurs dernières pensées, ces hommes de meurtre et de sang ! c'est autour de ce mur, dans ce carré étroit, que leurs derniers pas ont tourné comme ceux d'une bête fauve. Ils se sont succédé à de courts intervalles ; il paraît que ce cachot ne désemplit pas[1]. Ils ont laissé la place chaude, et c'est à moi qu'ils l'ont laissée. J'irai à mon tour les rejoindre au cimetière de Clamart[2], où l'herbe pousse si bien !

Je ne suis ni visionnaire[3], ni superstitieux. Il est probable que ces idées me donnaient un accès de fièvre ; mais pendant que je rêvais ainsi, il m'a semblé tout à coup que ces noms fatals étaient écrits avec du feu sur le mur noir ; un tintement[4] de plus en plus précipité a éclaté dans mes oreilles ; une lueur rousse a

---

Notes

1. **ne désemplit pas** : est toujours rempli.
2. **cimetière de Clamart** : cimetière des exécutés et des suppliciés.

3. **visionnaire** : illuminé.
4. **tintement** : petit bruit.

rempli mes yeux ; et puis il m'a paru que le cachot était plein
35 d'hommes, d'hommes étranges qui portaient leur tête dans
leur main gauche, et la portaient par la bouche, parce qu'il n'y
avait pas de chevelure. Tous me montraient le poing, excepté le
parricide[1].

J'ai fermé les yeux avec horreur, alors j'ai tout vu plus
40 distinctement.

Rêve, vision ou réalité, je serais devenu fou, si une impression
brusque ne m'eût réveillé à temps. J'étais près de tomber à la
renverse lorsque j'ai senti se traîner sur mon pied nu un ventre
froid et des pattes velues ; c'était l'araignée que j'avais dérangée
45 et qui s'enfuyait.

Cela m'a dépossédé. – Ô les épouvantables spectres ! – Non,
c'était une fumée, une imagination de mon cerveau vide et
convulsif. Chimère à la Macbeth[2] ! Les morts sont morts, ceux-là
surtout. Ils sont bien cadenassés dans le sépulcre[3]. Ce n'est pas
50 là une prison dont on s'évade. Comment se fait-il donc que j'aie
eu peur ainsi ?

La porte du tombeau ne s'ouvre pas en dedans.

XIII

1 J'ai vu, ces jours passés, une chose hideuse.

Il était à peine jour, et la prison était pleine de bruit. On entendait ouvrir et fermer les lourdes portes, grincer les verrous et les
cadenas de fer, carillonner les trousseaux de clefs entre-choqués
5 à la ceinture des geôliers, trembler les escaliers du haut en bas
sous des pas précipités, et des voix s'appeler et se répondre des
deux bouts des longs corridors. Mes voisins de cachot, les forçats
en punition, étaient plus gais qu'à l'ordinaire. Tout Bicêtre semblait rire, chanter, courir, danser.

Notes

1. On retranchait la main à celui
qui avait tué son père (parricide).
2. **Chimère à la Macbeth** : référence
aux visions d'horreur que conçurent
les personnages de la tragédie de
Shakespeare *Macbeth* après leurs crimes.
3. **sépulcre** : tombeau.

10   Moi, seul muet dans ce vacarme, seul immobile dans ce tumulte, étonné et attentif, j'écoutais.

Un geôlier passa.

Je me hasardai à l'appeler et à lui demander si c'était fête dans la prison.

15   – Fête si l'on veut ! me répondit-il. C'est aujourd'hui qu'on ferre les forçats qui doivent partir demain pour Toulon[1]. Voulez-vous voir, cela vous amusera.

C'était en effet, pour un reclus[2] solitaire, une bonne fortune qu'un spectacle, si odieux qu'il fût. J'acceptai l'amusement.

20   Le guichetier prit les précautions d'usage pour s'assurer de moi[3], puis me conduisit dans une petite cellule vide, et absolument démeublée, qui avait une fenêtre grillée, mais une véritable fenêtre à hauteur d'appui, et à travers laquelle on apercevait réellement le ciel.

25   – Tenez, me dit-il, d'ici vous verrez et vous entendrez. Vous serez seul dans votre loge[4] comme le roi.

Puis il sortit et referma sur moi serrures, cadenas et verrous.

La fenêtre donnait sur une cour carrée assez vaste, et autour de laquelle s'élevait des quatre côtés, comme une muraille, 30 un grand bâtiment de pierre de taille à six étages. Rien de plus dégradé, de plus nu, de plus misérable à l'œil que cette quadruple façade percée d'une multitude de fenêtres grillées auxquelles se tenaient collés, du bas en haut, une foule de visages maigres et blêmes[5], pressés les uns au-dessus des autres, comme les 35 pierres d'un mur, et tous pour ainsi dire encadrés dans les entrecroisements des barreaux de fer. C'étaient les prisonniers, spectateurs de la cérémonie en attendant leur jour d'être acteurs.

Notes

1. **Toulon** : le bagne de Toulon.

2. **un reclus** : une personne renfermée et isolée.

3. **les précautions [...] moi** : les précautions habituelles pour que je ne m'échappe pas ni attente à mes jours.

4. **loge** : place surélevée au théâtre (ironique).

5. **blêmes** : blancs.

On eût dit des âmes en peine[1] aux soupiraux du purgatoire[2] qui donnent sur l'enfer.

40 Tous regardaient en silence la cour vide encore. Ils attendaient. Parmi ces figures éteintes et mornes[3], çà et là brillaient quelques yeux perçants et vifs comme des points de feu.

Le carré de prisons qui enveloppe la cour ne se referme pas sur lui-même. Un des quatre pans[4] de l'édifice (celui qui regarde 45 le levant[5]) est coupé vers son milieu, et ne se rattache au pan voisin que par une grille de fer. Cette grille s'ouvre sur une seconde cour, plus petite que la première, et, comme elle, bloquée de murs et de pignons[6] noirâtres.

Tout autour de la cour principale, des bancs de pierre 50 s'adossent à la muraille. Au milieu se dresse une tige de fer courbée, destinée à porter une lanterne.

Midi sonna. Une grande porte cochère[7], cachée sous un enfoncement, s'ouvrit brusquement. Une charrette, escortée d'espèces de soldats sales et honteux, en uniformes bleus, à 55 épaulettes rouges et à bandoulières jaunes, entra lourdement dans la cour avec un bruit de ferraille. C'était la chiourme[8] et les chaînes.

Au même instant, comme si ce bruit réveillait tout le bruit de la prison, les spectateurs des fenêtres, jusqu'alors silencieux et 60 immobiles, éclatèrent en cris de joie, en chansons, en menaces, en imprécations[9] mêlées d'éclats de rire poignants à entendre. On eût cru voir des masques de démons. Sur chaque visage parut une grimace, tous les poings sortirent des barreaux, toutes les voix hurlèrent, tous les yeux flamboyèrent, et je fus épouvanté de 65 voir tant d'étincelles reparaître dans cette cendre.

Notes

1. **âmes en peine** : âmes en attente d'être jugées.

2. La référence au soupirail fait du purgatoire un lieu souterrain et sombre.

3. **mornes** : sans expression.

4. **pans** : murs.

5. **le levant** : à l'est.

6. **pignons** : hauts crénelés d'un mur.

7. **porte cochère** : porte par laquelle passent les véhicules.

8. **la chiourme** : le groupe des forçats.

9. **imprécations** : injures.

Cependant les argousins[1], parmi lesquels on distinguait, à leurs vêtements propres et à leur effroi, quelques curieux venus de Paris, les argousins se mirent tranquillement à leur besogne. L'un d'eux monta sur la charrette, et jeta à ses camarades les chaînes, les colliers de voyage[2], et les liasses de pantalons[3] de toile. Alors ils se dépecèrent[4] le travail ; les uns allèrent étendre dans un coin de la cour les longues chaînes qu'ils nommaient dans leur argot les *ficelles* ; les autres déployèrent sur le pavé les *taffetas*[5], les chemises et les pantalons ; tandis que les plus sagaces[6] examinaient un à un, sous l'œil de leur capitaine, petit vieillard trapu[7], les carcans[8] de fer, qu'ils éprouvaient ensuite en les faisant étinceler sur le pavé. Le tout aux acclamations railleuses[9] des prisonniers, dont la voix n'était dominée que par les rires bruyants des forçats pour qui cela se préparait, et qu'on voyait relégués[10] aux croisées de la vieille prison qui donne sur la petite cour.

Quand ces apprêts[11] furent terminés, un monsieur brodé en argent[12], qu'on appelait *monsieur l'inspecteur*, donna un ordre au *directeur* de la prison ; et un moment après, voilà que deux ou trois portes basses vomirent presque en même temps, et comme par bouffées, dans la cour, des nuées d'hommes hideux, hurlants et déguenillés. C'étaient les forçats.

À leur entrée, redoublement de joie aux fenêtres. Quelques-uns d'entre eux, les grands noms du bagne, furent salués d'acclamations et d'applaudissements qu'ils recevaient avec une

---

Notes

1. argousins : gardiens des galériens.

2. colliers de voyage : colliers rigides en fer que devaient porter les forçats lors de leur transfert à Toulon.

3. liasses de pantalons : amas de pantalons liés ensemble.

4. ils se dépecèrent : il se partagèrent.

5. *taffetas* : tissus de soie (ironique).

6. sagaces : qui observent les moindres défauts avec perspicacité.

7. trapu : petit et robuste.

8. carcans : colliers.

9. railleuses : moqueuses.

10. relégués : mis à l'arrière.

11. apprêts : préparatifs.

12. brodé en argent : vêtu d'un habit officiel.

sorte de modestie fière. La plupart avaient des espèces de chapeaux tressés de leurs propres mains avec la paille du cachot, et toujours d'une forme étrange, afin que dans les villes où l'on passerait le chapeau fît remarquer la tête. Ceux-là étaient plus
95 applaudis encore. Un, surtout, excita des transports[1] d'enthousiasme : un jeune homme de dix-sept ans, qui avait un visage de jeune fille. Il sortait du cachot, où il était au secret depuis huit jours ; de sa botte de paille il s'était fait un vêtement qui l'enveloppait de la tête aux pieds, et il entra dans la cour en faisant la
100 roue sur lui-même avec l'agilité d'un serpent. C'était un baladin[2] condamné pour vol. Il y eut une rage de battements de mains et de cris de joie. Les galériens y répondaient, et c'était une chose effrayante que cet échange de gaietés entre les forçats en titre et les forçats aspirants[3]. La société avait beau être là, représentée
105 par les geôliers et les curieux épouvantés, le crime la narguait en face[4], et de ce châtiment horrible faisait une fête de famille.

À mesure qu'ils arrivaient, on les poussait, entre deux haies de gardes-chiourme, dans la petite cour grillée, où la visite des médecins les attendait. C'est là que tous tentaient un dernier
110 effort pour éviter le voyage, alléguant[5] quelque excuse de santé, les yeux malades, la jambe boiteuse, la main mutilée. Mais presque toujours on les trouvait bons pour le bagne ; et alors chacun se résignait avec insouciance, oubliant en peu de minutes sa prétendue infirmité de toute la vie.

115 La grille de la petite cour se rouvrit. Un gardien fit l'appel par ordre alphabétique ; et alors ils sortirent un à un, et chaque forçat s'alla ranger debout dans un coin de la grande cour, près d'un compagnon donné par le hasard de sa lettre initiale. Ainsi

Notes

1. **transports :** élans.

2. **baladin :** comédien ambulant.

3. **les forçats en titre et les forçats aspirants :** forçats qui sont sur le point de partir au bagne et ceux qui attendent de partir dans la prison.

4. **le crime la narguait en face :** les criminels la défiaient.

5. **alléguant :** donnant.

chacun se voit réduit à lui-même ; chacun porte sa chaîne pour
120 soi, côte à côte avec un inconnu ; et si par hasard un forçat a un
ami, la chaîne l'en sépare. Dernière des misères !

Quand il y en eut à peu près une trentaine de sortis, on referma
la grille. Un argousin les aligna avec son bâton, jeta devant chacun d'eux une chemise, une veste et un pantalon de grosse toile,
125 puis fit un signe, et tous commencèrent à se déshabiller. Un
incident inattendu vint, comme à point nommé, changer cette
humiliation en torture.

Jusqu'alors le temps avait été assez beau, et, si la brise[1] d'octobre refroidissait l'air, de temps en temps aussi elle ouvrait çà
130 et là dans les brumes grises du ciel une crevasse par où tombait
un rayon de soleil. Mais à peine les forçats se furent-ils dépouil-
lés de leurs haillons de prison, au moment où ils s'offraient nus
et debout à la visite soupçonneuse des gardiens, et aux regards
curieux des étrangers qui tournaient autour d'eux pour examiner
135 leurs épaules, le ciel devint noir, une froide averse d'automne
éclata brusquement, et se déchargea à torrents dans la cour carrée, sur les têtes découvertes, sur les membres nus des galériens,
sur leurs misérables sayons[2] étalés sur le pavé.

En un clin d'œil le préau se vida de tout ce qui n'était pas
140 argousin ou galérien. Les curieux de Paris allèrent s'abriter sous
les auvents des portes.

Cependant la pluie tombait à flots. On ne voyait plus dans la
cour que les forçats nus et ruisselants sur le pavé noyé. Un silence
morne avait succédé à leurs bruyantes bravades[3]. Ils grelottaient,
145 leurs dents claquaient ; leurs jambes maigries, leurs genoux
noueux s'entre-choquaient ; et c'était pitié de les voir appliquer
sur leurs membres bleus ces chemises trempées, ces vestes, ces
pantalons dégouttant de pluie[4]. La nudité eût été meilleure.

Notes

1. **brise** : petit vent.
2. **sayons** : vêtements grossiers.

3. **bravades** : défis.
4. **dégouttant de pluie** : d'où la pluie
tombe goutte à goutte.

Le ferrement des bagnards à Bicêtre, gravure de G. Cloquemin.

Un seul, un vieux, avait conservé quelque gaieté. Il s'écria, en
150 s'essuyant avec sa chemise mouillée, que *cela n'était pas dans
le programme* ; puis se prit à rire en montrant le poing au ciel.

Quand ils eurent revêtu les habits de route, on les mena par
bandes de vingt ou trente à l'autre coin du préau, où les cordons
allongés à terre les attendaient. Ces cordons sont de longues et
155 fortes chaînes coupées transversalement de deux en deux pieds
par d'autres chaînes plus courtes, à l'extrémité desquelles se rattache un carcan carré, qui s'ouvre au moyen d'une charnière
pratiquée à l'un des angles et se ferme à l'angle opposé par un
boulon de fer, rivé pour tout le voyage sur le cou du galérien.
160 Quand ces cordons sont développés à terre, ils figurent[1] assez
bien la grande arête d'un poisson.

On fit asseoir les galériens dans la boue, sur les pavés inon-
dés ; on leur essaya les colliers ; puis deux forgerons de la
chiourme, armés d'enclumes portatives, les leur rivèrent à froid à
165 grands coups de masses de fer. C'est un moment affreux, où les
plus hardis[2] pâlissent. Chaque coup de marteau, asséné sur l'en-
clume appuyée à leur dos, fait rebondir le menton du patient ; le
moindre mouvement d'avant en arrière lui ferait sauter le crâne
comme une coquille de noix.

170 Après cette opération, ils devinrent sombres[3]. On n'entendait
plus que le grelottement des chaînes, et par intervalles un cri et
le bruit sourd du bâton des gardes-chiourme sur les membres des
récalcitrants[4]. Il y en eut qui pleurèrent ; les vieux frissonnaient
et se mordaient les lèvres. Je regardai avec terreur tous ces profils
175 sinistres dans leurs cadres de fer.

Ainsi, après la visite des médecins, la visite des geôliers ;
après la visite des geôliers, le ferrage. Trois actes à ce spectacle.

Un rayon de soleil reparut. On eût dit qu'il mettait le feu à
tous ces cerveaux. Les forçats se levèrent à la fois, comme par

---

1. **ils figurent** : ils dessinent.   3. **sombres** : sans gaieté.
2. **hardis** : courageux.   4. **récalcitrants** : ceux qui résistent.

180 un mouvement convulsif[1]. Les cinq cordons se rattachèrent par les mains, et tout à coup se formèrent en ronde immense autour de la branche de la lanterne. Ils tournaient à fatiguer les yeux. Ils chantaient une chanson du bagne, une romance d'argot, sur un air tantôt plaintif, tantôt furieux et gai ; on entendait par
185 intervalles des cris grêles[2], des éclats de rire déchirés et haletants se mêler aux mystérieuses paroles ; puis des acclamations furibondes[3] ; et les chaînes qui s'entre-choquaient en cadence servaient d'orchestre à ce chant plus rauque que leur bruit. Si je cherchais une image du sabbat, je ne la voudrais ni meilleure
190 ni pire.

On apporta dans le préau un large baquet[4]. Les gardes-chiourme rompirent[5] la danse des forçats à coups de bâton, et les conduisirent à ce baquet, dans lequel on voyait nager je ne sais quelles herbes dans je ne sais quel liquide fumant et sale. Ils
195 mangèrent.

Puis, ayant mangé, ils jetèrent sur le pavé ce qui restait de leur soupe et de leur pain bis[6], et se remirent à danser et à chanter. Il paraît qu'on leur laisse cette liberté le jour du ferrage et la nuit qui le suit.

200 J'observais ce spectacle étrange avec une curiosité si avide, si palpitante, si attentive, que je m'étais oublié moi-même. Un profond sentiment de pitié me remuait jusqu'aux entrailles, et leurs rires me faisaient pleurer.

Tout à coup, à travers la rêverie profonde où j'étais tombé,
205 je vis la ronde hurlante s'arrêter et se taire. Puis tous les yeux se tournèrent vers la fenêtre que j'occupais. – Le condamné ! le condamné ! crièrent-ils tous en me montrant du doigt ; et les explosions de joie redoublèrent.

Notes

1. **convulsif** : nerveux, incontrôlable.
2. **cris grêles** : petits cris plaintifs.
3. **acclamations furibondes** : cris furieux.

4. **baquet** : cuve.
5. **rompirent** : interrompirent.
6. **pain bis** : pain très ordinaire presque noir.

Je restai pétrifié[1].

210 J'ignore d'où ils me connaissaient et comment ils m'avaient reconnu.

– Bonjour ! bonsoir ! me crièrent-ils avec leur ricanement atroce. Un des plus jeunes, condamné aux galères perpétuelles, face luisante et plombée[2], me regarda d'un air d'envie en disant :

215 – Il est heureux ! il sera *rogné*[3] ! Adieu, camarade !

Je ne puis dire ce qui se passait en moi. J'étais leur camarade en effet. La Grève est sœur de Toulon[4]. J'étais même placé plus bas qu'eux : ils me faisaient honneur. Je frissonnai.

Oui, leur camarade ! Et quelques jours plus tard, j'aurais pu 220 aussi, moi, être un spectacle pour eux.

J'étais demeuré à la fenêtre, immobile, perclus[5], paralysé. Mais quand je vis les cinq cordons s'avancer, se ruer vers moi avec des paroles d'une infernale cordialité[6] ; quand j'entendis le tumultueux fracas de leurs chaînes, de leurs clameurs, de leurs 225 pas, au pied du mur, il me sembla que cette nuée[7] de démons escaladait ma misérable cellule ; je poussai un cri, je me jetai sur la porte d'une violence à la briser ; mais pas moyen de fuir. Les verrous étaient tirés en dehors. Je heurtai, j'appelai avec rage. Puis il me sembla entendre de plus près encore les effrayantes 230 voix des forçats. Je crus voir leurs têtes hideuses paraître déjà au bord de ma fenêtre, je poussai un second cri d'angoisse, et je tombai évanoui.

> suite, p. 84

Notes

1. **pétrifié** : paralysé.
2. **plombée** : au teint gris.
3. *rogné* : guillotiné.
4. La place de Grève où l'on guillotine est proche dans l'horreur du bagne de Toulon.

5. **perclus** : plein de douleur.
6. **cordialité** : amabilité.
7. **cette nuée** : ce groupe compact.

Le théâtre des maudits

Questions sur le chapitre XIII (pages 72 à 81)

LE THÉÂTRE DE BICÊTRE

1 Quel événement est raconté dans ce chapitre ?

2 Complétez ce tableau en ordonnant vos réponses du collectif au singulier. Que constatez-vous entre ces deux listes ?

Les spectateurs	Les acteurs
–	–
–	–
–	–
–	–

3 Retrouvez, dans le texte, les éléments correspondants :

- un théâtre → ....
- le balcon et la corbeille → ....
- les trois coups → ....
- le rideau → ....
- la scène → ....
- les trois actes → ....
- les applaudissements → ....

UN SPECTACLE INFERNAL

4 Pour qui cet événement est-il une fête ? Pourquoi ?

5 Trouvez deux phrases dans lesquelles les notions de « fête » et d'« enfer » sont associées et forment un oxymore.

6 Dans les lignes 178 à 190, quel terme issu de la mythologie du Moyen Âge concentre en lui-même ces deux notions ?

Un dénouement inattendu

7 À quel moment la situation s'inverse-t-elle ? Qu'arrive-t-il au condamné ?

8 Pourquoi ce dénouement annonce-t-il sa fin tragique ?

Sur les planches...

9 Vous êtes metteur en scène et le théâtre national de votre ville vous demande d'adapter un extrait du texte de Victor Hugo. La scène du ferrement vous semble idéale ; pourtant, des difficultés apparaissent, dont vous faites part au directeur du théâtre dans une lettre.

Dans un premier temps, vous présenterez ce qui, dans le chapitre, est facilement adaptable, puis, dans un second temps, vous exposerez ce qui vous paraît difficilement transposable du fait des contraintes techniques de la scène.

Mise en images

10 Sur Internet, cherchez des images sur la pratique du ferrement. Présentez-les et commentez-les à l'aide du chapitre que vous venez d'étudier (faites un Powerpoint).

XIV

1   Quand je revins à moi, il était nuit. J'étais couché dans un grabat[1] ; une lanterne qui vacillait au plafond me fit voir d'autres grabats alignés des deux côtés du mien. Je compris qu'on m'avait transporté à l'infirmerie.

5   Je restai quelques instants éveillé, mais sans pensée et sans souvenir, tout entier au bonheur d'être dans un lit. Certes, en d'autres temps, ce lit d'hôpital et de prison m'eût fait reculer de dégoût et de pitié ; mais je n'étais plus le même homme. Les draps étaient gris et rudes au toucher, la couverture maigre et
10 trouée ; on sentait la paillasse[2] à travers le matelas ; qu'importe ! mes membres pouvaient se déroidir[3] à l'aise entre ces draps grossiers ; sous cette couverture, si mince qu'elle fût, je sentais se dissiper peu à peu cet horrible froid de la moelle des os dont j'avais pris l'habitude. – Je me rendormis.

15   Un grand bruit me réveilla ; il faisait petit jour. Ce bruit venait du dehors ; mon lit était à côté de la fenêtre, je me levai sur mon séant[4] pour voir ce que c'était.

    La fenêtre donnait sur la grande cour de Bicêtre. Cette cour était pleine de monde ; deux haies de vétérans[5] avaient peine à
20 maintenir libre, au milieu de cette foule, un étroit chemin qui traversait la cour. Entre ce double rang de soldats cheminaient lentement, cahotées à chaque pavé, cinq longues charrettes chargées d'hommes ; c'étaient les forçats qui partaient.

    Ces charrettes étaient découvertes. Chaque cordon en occu-
25 pait une. Les forçats étaient assis de côté sur chacun des bords, adossés les uns aux autres, séparés par la chaîne commune, qui se développait dans la longueur du chariot, et sur l'extrémité de laquelle un argousin debout, fusil chargé, tenait le pied. On

---

Notes

1. **grabat** : lit misérable.
2. **paillasse** : paille.
3. **se déroidir** : perdre leur raideur.
4. **sur mon séant** : en position assise.
5. **vétérans** : vieux soldats.

entendait bruire leurs fers, et, à chaque secousse de la voiture,
30 on voyait sauter leurs têtes et ballotter leurs jambes pendantes.
Une pluie fine et pénétrante glaçait l'air, et collait sur leurs
genoux leurs pantalons de toile, de gris devenus noirs. Leurs
longues barbes, leurs cheveux courts, ruisselaient ; leurs visages
étaient violets ; on les voyait grelotter, et leurs dents grinçaient
35 de rage et de froid. Du reste, pas de mouvements possibles.
Une fois rivé à cette chaîne, on n'est plus qu'une fraction[1] de ce
tout hideux qu'on appelle le cordon, et qui se meut comme un
seul homme. L'intelligence doit abdiquer[2], le carcan du bagne
la condamne à mort ; et quant à l'animal lui-même, il ne doit
40 plus avoir de besoins et d'appétits qu'à heures fixes. Ainsi, immobiles, la plupart demi-nus, têtes découvertes et pieds pendants,
ils commençaient leur voyage de vingt-cinq jours, chargés sur
les mêmes charrettes, vêtus des mêmes vêtements pour le soleil
à plomb de juillet et pour les froides pluies de novembre. On
45 dirait que les hommes veulent mettre le ciel de moitié dans leur
office[3] de bourreaux.
Il s'était établi entre la foule et les charrettes je ne sais quel
horrible dialogue : injures d'un côté, bravades de l'autre, imprécations[4] des deux parts ; mais, à un signe du capitaine, je vis les
50 coups de bâton pleuvoir au hasard dans les charrettes, sur les
épaules ou sur les têtes, et tout rentra dans cette espèce de calme
extérieur qu'on appelle l'ordre. Mais les yeux étaient pleins
de vengeance, et les poings des misérables se crispaient sur
leurs genoux.
55 Les cinq charrettes, escortées de gendarmes à cheval et d'argousins à pied, disparurent successivement sous la haute porte
cintrée de Bicêtre ; une sixième les suivit, dans laquelle ballot-
taient pêle-mêle les chaudières, les gamelles de cuivre et les

---

Notes

1. **une fraction** : une petite partie.
2. **abdiquer** : renoncer.
3. **office** : fonction.

4. **imprécations** : malédictions proférées
contre quelqu'un.

chaînes de rechange. Quelques gardes-chiourme qui s'étaient
60 attardés à la cantine sortirent en courant pour rejoindre leur
escouade. La foule s'écoula. Tout ce spectacle s'évanouit comme
une fantasmagorie. On entendit s'affaiblir par degrés dans l'air
le bruit lourd des roues et des pieds des chevaux sur la route
pavée de Fontainebleau, le claquement des fouets, le cliquetis
65 des chaînes, et les hurlements du peuple qui souhaitait malheur
au voyage des galériens.

  Et c'est là pour eux le commencement !

  Que me disait-il donc, l'avocat ? Les galères ! Ah ! oui, plutôt
mille fois la mort ! plutôt l'échafaud que le bagne, plutôt le néant
70 que l'enfer ; plutôt livrer mon cou au couteau de Guillotin qu'au
carcan de la chiourme ! Les galères, juste ciel !

XV

1 Malheureusement, je n'étais pas malade. Le lendemain il fallut sortir de l'infirmerie. Le cachot me reprit.

  Pas malade ! en effet, je suis jeune, sain et fort. Le sang coule
librement dans mes veines ; tous mes membres obéissent à tous
5 mes caprices ; je suis robuste de corps et d'esprit, constitué pour
une longue vie ; oui, tout cela est vrai ; et cependant j'ai une
maladie, une maladie mortelle, une maladie faite de la main
des hommes.

  Depuis que je suis sorti de l'infirmerie, il m'est venu une idée
10 poignante, une idée à me rendre fou, c'est que j'aurais peut-être
pu m'évader si l'on m'y avait laissé. Ces médecins, ces sœurs
de charité[1], semblaient prendre intérêt à moi. Mourir si jeune et
d'une telle mort ! On eût dit qu'ils me plaignaient, tant ils étaient
empressés autour de mon chevet[2]. Bah ! curiosité ! Et puis, ces
15 gens qui guérissent vous guérissent bien d'une fièvre, mais non
d'une sentence de mort. Et pourtant cela leur serait si facile ! une
porte ouverte ! Qu'est-ce que cela leur ferait ?

Notes | **1. sœurs de charité** : religieuses. **2. chevet** : lit d'un malade.

Plus de chance maintenant ! mon pourvoi sera rejeté, parce que tout est en règle ; les témoins ont bien témoigné, les plai-
20 deurs ont bien plaidé, les juges ont bien jugé. Je n'y compte pas, à moins que... Non, folie ! plus d'espérance ! Le pourvoi, c'est une corde qui vous tient suspendu au-dessus de l'abîme, et qu'on entend craquer à chaque instant, jusqu'à ce qu'elle se casse. C'est comme si le couteau de la guillotine mettait six
25 semaines à tomber.

Si j'avais ma grâce ? – Avoir ma grâce ! Et par qui ? et pour-quoi ? et comment ? Il est impossible qu'on me fasse grâce. L'exemple ! comme ils disent.

Je n'ai plus que trois pas à faire : Bicêtre, la Conciergerie,
30 la Grève.

> suite, p. 90

« La cour », lithographie d'Honoré Daumier.

Une issue ?

Questions sur le chapitre XV (pages 86-87)

MALGRÉ TOUT L'ESPOIR...

1 Pourquoi le condamné était-il à l'infirmerie ?

2 De quelle maladie le narrateur prétend-il souffrir ?

3 Qu'espère-t-il ?

4 Complétez ce tableau en suivant la progression du texte.

Projets (espoirs)	Échec ou réussite ?
Évasion de l'infirmerie.	
	Échec probable.
La demande de grâce.	

5 Quelle gradation observez-vous dans l'évocation de ces projets ?

Gradation

Expression d'une idée à l'aide d'une succession de mots de plus en plus forts ou de moins en moins forts. Ex. : « *Je n'ai plus qu'une pensée, qu'une conviction, qu'une certitude : condamné à mort !* » (chap. I).

6 Quelle autre gradation trouve-t-on dans ce chapitre ? Que signifie-t-elle ?

7 Pourquoi dit-on que cet extrait est un « dialogue intérieur » ?

Un condamné désespérément lucide

8 En vous aidant du tableau complété à la question 4, donnez les raisons pour lesquelles le condamné estime vains ses espoirs.

9 Cherchez l'origine et la définition de l'expression « avoir une épée de Damoclès sur la tête » et faites le rapprochement avec les propos du narrateur sur son pourvoi en cassation.

Rythme ternaire

Rythme créé par trois éléments syntaxiques identiques qui, ici, provoque chez le lecteur une impression d'enfermement. Ex. : « *Voilà cinq semaines que j'habite avec cette pensée, toujours seul avec elle, toujours glacé de sa présence, toujours courbé sous son poids !* » (chap. I).

10 En écho à cette condamnation en trois temps, Victor Hugo a multiplié les expressions ternaires dans le texte. Relevez-les et dites si elles illustrent les espoirs ou la lucidité désespérée du condamné.

L'exemple, comme ils disent

11 Lisez les lignes 491 à 543 de la préface de Victor Hugo (pp. 34 à 36), puis réécrivez librement ce passage sous la forme d'un récit rédigé, cette fois, par le narrateur du *Dernier Jour d'un condamné*.

XVI

1   Pendant le peu d'heures que j'ai passées à l'infirmerie, je m'étais assis près d'une fenêtre, au soleil, – il avait reparu – ou du moins recevant du soleil tout ce que les grilles de la croisée m'en laissaient.

5   J'étais là, ma tête pesante et embrasée[1] dans mes deux mains, qui en avaient plus qu'elles n'en pouvaient porter, mes coudes sur mes genoux, les pieds sur les barreaux de ma chaise, car l'abattement fait que je me courbe et me replie sur moi-même comme si je n'avais plus ni os dans les membres ni muscles dans
10 la chair.

L'odeur étouffée de la prison me suffoquait[2] plus que jamais, j'avais encore dans l'oreille tout ce bruit de chaînes des galériens, j'éprouvais une grande lassitude[3] de Bicêtre. Il me semblait que le bon Dieu devrait bien avoir pitié de moi et m'envoyer au
15 moins un petit oiseau pour chanter là, en face, au bord du toit.

Je ne sais si ce fut le bon Dieu ou le démon qui m'exauça ; mais presque au même moment j'entendis s'élever sous ma fenêtre une voix, non celle d'un oiseau, mais bien mieux : la voix pure, fraîche, veloutée d'une jeune fille de quinze ans. Je
20 levai la tête comme en sursaut, j'écoutai avidement la chanson qu'elle chantait. C'était un air lent et langoureux, une espèce de roucoulement triste et lamentable ; voici les paroles :

> C'est dans la rue du Mail
> Où j'ai été coltigé[4],
25   Maluré[5],
> Par trois coquins de railles[6],
> Lirlonfa malurette,
> Sur mes sique'[7] ont foncé,
> Lirlonfa maluré.

Notes

1. **embrasée** : fiévreuse.
2. **me suffoquait** : m'asphyxiait.
3. **lassitude** : fatigue.
4. *coltigé* : malmené.
5. *Maluré* : malheureux.
6. *de railles* : de la police.
7. *mes sique'* : moi.

³⁰ Je ne saurais dire combien fut amer mon désappointement.
La voix continua :

> Sur mes sique' ont foncé,
> *Maluré.*
> *Ils m'ont mis la tartouve*[1],
> ³⁵ *Lirlonfa malurette,*
> *Grand Meudon est aboulé*[2],
> *Lirlonfa maluré.*
> *Dans mon trimin*[3] *rencontre*
> *Lirlonfa malurette,*
> ⁴⁰ *Un peigre du quartier,*
> *Lirlonfa maluré.*

> *Un peigre*[4] *du quartier.*
> *Maluré.*
> *– Va-t'en dire à ma largue*[5],
> ⁴⁵ *Lirlonfa malurette,*
> *Que je suis enfourraillé*[6],
> *Lirlonfa maluré.*
> *Ma largue tout en colère,*
> *Lirlonfa malurette,*
> ⁵⁰ *M'dit : Qu'as-tu donc morfillé*[7] ?
> *Lirlonfa maluré.*

> *M'dit : Qu'as-tu donc morfillé ?*
> *Maluré.*
> *– J'ai fait suer un chêne*[8],
> ⁵⁵ *Lirlonfa malurette,*
> *Son auberg j'ai enganté*[9],

Notes

1. *la tartouve* : les menottes.
2. *Grand Meudon est aboulé* : le mouchard est arrivé.
3. *trimin* : chemin.
4. *peigre* : voleur.
5. *largue* : femme.

6. *enfourraillé* : arrêté.
7. *morfillé* : fait.
8. *J'ai fait suer un chêne* : j'ai commis un meurtre.
9. *Son auberg j'ai enganté* : j'ai volé son argent.

Lirlonfa maluré,
Son auberg et sa toquante[1],
Lirlonfa malurette,
60   Et ses attach's de cés[2],
Lirlonfa maluré.

Et ses attach's de cés,
Maluré.
– Ma largu' part pour Versailles,
65   Lirlonfa malurette,
Aux pieds d'sa majesté,
Lirlonfa maluré.
Elle lui fonce un babillard[3],
Lirlonfa malurette,

70   Pour m'faire défourrailler[4],
Lirlonfa maluré.
Pour m'faire défourrailler,
Maluré.
– Ah ! si j'en défourraille,
75   Lirlonfa malurette,
Ma largue j'entiferai[5],
Lirlonfa maluré.
J'li ferai porter fontange[6],
Lirlonfa malurette,

80   Et souliers galuchés[7],
Lirlonfa maluré.

Notes

1. *toquante* : montre.
2. *attach's de cés* : boucles des souliers en argent.
3. *Elle lui fonce un babillard* : elle lui demande grâce.
4. *défourrailler* : libérer.
5. *j'entiferai* : je couvrirai de jolis habits, de bijoux.
6. *fontange* : perruque.
7. *souliers galuchés* : sortes de sabots.

> *Et souliers galuchés,*
> *Maluré.*
> *Mais grand dabe[1] qui s'fâche,*
> 85 *Lirlonfa malurette,*
> *Dit : – Par mon caloquet[2],*
> *Lirlonfa maluré,*
> *J'li ferai danser une danse,*
> *Lirlonfa malurette,*
> 90 *Où il n'y a pas de plancher[3],*
> *Lirlonfa maluré.*

Je n'en ai pas entendu et n'aurais pu en entendre davantage. Le sens à demi compris et à demi caché de cette horrible complainte[4], cette lutte du brigand avec le guet[5], ce voleur qu'il 95 rencontre et qu'il dépêche[6] à sa femme, cet épouvantable message : J'ai assassiné un homme et je suis arrêté, *j'ai fait suer un chêne et je suis enfourraillé* ; cette femme qui court à Versailles avec un placet[7], et cette *Majesté* qui s'indigne et menace le coupable de *lui faire danser la danse où il n'y a pas de plancher* ; 100 et tout cela chanté sur l'air le plus doux et par la plus douce voix qui ait jamais endormi l'oreille humaine !... J'en suis resté navré, glacé, anéanti. C'était une chose repoussante que toutes ces monstrueuses paroles sortant de cette bouche vermeille[8] et fraîche. On eût dit la bave d'une limace sur une rose.

105 Je ne saurais rendre ce que j'éprouvais ; j'étais à la fois blessé et caressé. Le patois de la caverne et du bagne, cette langue ensanglantée[9] et grotesque, ce hideux argot marié à une voix de jeune fille, gracieuse transition[10] de la voix d'enfant à la voix

---

Notes

1. **dabe** : père, mais désigne ici le roi.
2. **mon caloquet** : ma couronne.
3. **J'li ferai [...] de plancher** : je le pendrai.
4. **complainte** : chanson populaire mélancolique.
5. **le guet** : l'homme chargé de surveiller.
6. **il dépêche** : il envoie.
7. **un placet** : une demande de justice faite par écrit.
8. **vermeille** : rouge.
9. **ensanglantée** : couverte de sang.
10. **transition** : passage.

de femme ! tous ces mots difformes et mal faits, chantés, caden-
110 cés, perlés !

Ah ! qu'une prison est quelque chose d'infâme ! il y a un
venin qui y salit tout. Tout s'y flétrit, même la chanson d'une fille
de quinze ans ! Vous y trouvez un oiseau, il a de la boue sur son
aile ; vous y cueillez une jolie fleur, vous la respirez : elle pue.

XVII

1   Oh ! si je m'évadais, comme je courrais à travers champs !

Non, il ne faudrait pas courir. Cela fait regarder et soupçon-
ner. Au contraire, marcher lentement, tête levée, en chantant.
Tâcher d'avoir quelque vieux sarrau bleu[1] à dessins rouges. Cela
5   déguise bien. Tous les maraîchers[2] des environs en portent.

Je sais auprès d'Arcueil un fourré d'arbres à côté d'un marais,
où, étant au collège, je venais avec mes camarades pêcher
des grenouilles tous les jeudis. C'est là que je me cacherais
jusqu'au soir.

10   La nuit tombée, je reprendrais ma course. J'irais à Vincennes.
Non, la rivière m'empêcherait. J'irais à Arpajon. – Il aurait
mieux valu prendre du côté de Saint-Germain, et aller au Havre,
et m'embarquer pour l'Angleterre. – N'importe ! j'arrive à
Longjumeau[3]. Un gendarme passe ; il me demande mon passe-
15   port... Je suis perdu !

Ah ! malheureux rêveur, brise donc d'abord le mur épais de
trois pieds qui t'emprisonne ! La mort ! La mort !

Quand je pense que je suis venu tout enfant, ici, à Bicêtre,
voir le grand puits et les fous[4] !

> suite, p. 97

Notes

1. **sarrau bleu** : blouse de paysan.
2. **maraîchers** : vendeurs de légumes.
3. **Arcueil, Vincennes, Arpajon,
Saint-Germain, Longjumeau** : villages
proches de Paris.

4. Les malades mentaux internés à
Bicêtre faisaient tourner la roue du puits
qui alimentait en eau l'hôpital.

Une évasion

Questions sur le chapitre XVII (page 94)

UN ESPOIR

1 Quel rapport faites-vous entre ce chapitre et le chapitre XV précédemment étudié ?

2 Quelle conjonction de subordination est essentielle dans ce texte ? Quel temps dominant lui est attaché ? Relevez des exemples.

3 S'évader de la prison, est-ce pour le condamné plutôt un rêve ou un projet ? Justifiez votre réponse.

UNE ÉVASION CONSOLATRICE

4 Complétez ce tableau.

	Début du rêve (l. 1)	Milieu du rêve (l. 2 à 13)	Fin du rêve (l. 13 à 15)
Indices de temps		Jusqu'au soir, la nuit tombée.	
Indices de lieu		Arcueil, Arpajon, Vincennes, Havre, Angleterre.	Longjumeau.
Acteurs	Le narrateur.		Le narrateur, un gendarme.
Péripéties		Dérober un sarrau, marcher l'air de rien, se cacher, aller au Havre, fuir en Angleterre...	
Temps verbaux	Imparfait, conditionnel.		

5 Complétez cette phrase avec l'une des quatre propositions suivantes : *Plus le rêve d'évasion s'impose à l'esprit du condamné et plus…*

☐ *il est heureux.*

☐ *il y croit comme à un événement réel.*

☐ *il se le représente dans tous les détails.*

☐ *il oublie sa condamnation.*

Présent de narration

On utilise le présent de narration pour raconter de manière plus vivante des événements pourtant situés dans le passé ou le futur. On appelle ce procédé « un effet de réel ».

---

6 Expliquez le changement de temps, lors du passage du conditionnel au présent de narration.

7 Le condamné finit par revenir à la réalité implacable ; pourtant il s'est bel et bien évadé. Que lui a permis cette « évasion » ?

ÉVASIONS CÉLÈBRES

8 Présentez, à l'ensemble de la classe, l'histoire vraie d'un homme et de son évasion. Vous pouvez choisir de la raconter à la 1re ou à la 3e personne.

XVIII

1   Pendant que j'écrivais tout ceci, ma lampe a pâli, le jour est venu, l'horloge de la chapelle a sonné six heures.

– Qu'est-ce que cela veut dire ? Le guichetier de garde vient d'entrer dans mon cachot, il a ôté sa casquette, m'a salué, s'est
5   excusé de me déranger, et m'a demandé, en adoucissant de son mieux sa rude voix, ce que je désirais à déjeuner ?...

Il m'a pris un frisson. – Est-ce que ce serait pour aujourd'hui ?

XIX

1   C'est pour aujourd'hui !

Le directeur de la prison lui-même vient de me rendre visite. Il m'a demandé en quoi il pourrait m'être agréable ou utile, a exprimé le désir que je n'eusse pas à me plaindre de lui ou de
5   ses subordonnés[1], s'est informé avec intérêt de ma santé et de la façon dont j'avais passé la nuit ; en me quittant, il m'a appelé *monsieur* !

C'est pour aujourd'hui !

XX

1   Il ne croit pas, ce geôlier, que j'aie à me plaindre de lui et de ses sous-geôliers. Il a raison. Ce serait mal à moi de me plaindre ; ils ont fait leur métier, ils m'ont bien gardé ; et puis ils ont été polis à l'arrivée et au départ. Ne dois-je pas être content ?

5   Ce bon geôlier, avec son sourire bénin[2], ses paroles caressantes, son œil qui flatte et qui espionne, ses grosses et larges mains, c'est la prison incarnée, c'est Bicêtre qui s'est fait homme. Tout est prison autour de moi ; je retrouve la prison sous toutes les formes, sous la forme humaine comme sous la forme de grille
10 ou de verrou. Ce mur, c'est de la prison en pierre ; cette porte, c'est de la prison en bois ; ces guichetiers, c'est de la prison en

---

Notes

1. **subordonnés** : personnes travaillant sous ses ordres.

2. **bénin** : gentil.

chair et en os. La prison est une espèce d'être horrible, complet, indivisible, moitié maison, moitié homme. Je suis sa proie ; elle me couve, elle m'enlace de tous ses replis. Elle m'enferme dans
15 ses murailles de granit, me cadenasse sous ses serrures de fer, et me surveille avec ses yeux de geôlier.

Ah ! misérable ! que vais-je devenir ? qu'est-ce qu'ils vont faire de moi ?

XXI

1 Je suis calme maintenant. Tout est fini, bien fini. Je suis sorti de l'horrible anxiété où m'avait jeté la visite du directeur. Car, je l'avoue, j'espérais encore. – Maintenant, Dieu merci, je n'espère plus.
5 Voici ce qui vient de se passer :

Au moment où six heures et demie sonnaient, – non, c'était l'avant-quart, – la porte de mon cachot s'est rouverte. Un vieillard à tête blanche, vêtu d'une redingote brune, est entré. Il a entr'ouvert sa redingote[1]. J'ai vu une soutane, un rabat[2]. C'était
10 un prêtre.

Ce prêtre n'était pas l'aumônier[3] de la prison. Cela était sinistre.

Il s'est assis en face de moi avec un sourire bienveillant ; puis a secoué la tête et levé les yeux au ciel, c'est-à-dire à la voûte du
15 cachot. Je l'ai compris.

– Mon fils, m'a-t-il dit, êtes-vous préparé ?

Je lui ai répondu d'une voix faible :

– Je ne suis pas préparé, mais je suis prêt.

Cependant ma vue s'est troublée, une sueur glacée est sortie
20 à la fois de tous mes membres, j'ai senti mes tempes se gonfler, et j'avais les oreilles pleines de bourdonnements.

Notes

1. redingote : veste longue.

2. une soutane, un rabat : vêtements de prêtre.

3. aumônier : prêtre chargé du service religieux.

Pendant que je vacillais sur ma chaise comme endormi, le bon vieillard parlait. C'est du moins ce qu'il m'a semblé, et je crois me souvenir que j'ai vu ses lèvres remuer, ses mains s'agi-
25 ter, ses yeux reluire.

La porte s'est rouverte une seconde fois. Le bruit des verrous nous a arrachés, moi à ma stupeur, lui à son discours. Une espèce de monsieur en habit noir, accompagné du directeur de la pri-son, s'est présenté, et m'a salué profondément. Cet homme avait
30 sur le visage quelque chose de la tristesse officielle des employés des pompes funèbres. Il tenait un rouleau de papier à la main.

– Monsieur, m'a-t-il dit avec un sourire de courtoisie, je suis huissier près la cour royale de Paris. J'ai l'honneur de vous appor-ter un message de la part de monsieur le procureur général.
35 La première secousse était passée. Toute ma présence d'esprit m'était revenue.

– C'est monsieur le procureur général, lui ai-je répondu, qui a demandé si instamment[1] ma tête ? Bien de l'honneur pour moi qu'il m'écrive. J'espère que ma mort lui va faire grand plaisir ?
40 car il me serait dur de penser qu'il l'a sollicitée avec tant d'ardeur et qu'elle lui était indifférente.

J'ai dit tout cela, et j'ai repris d'une voix ferme :

– Lisez, monsieur !

Il s'est mis à me lire un long texte, en chantant à la fin de
45 chaque ligne et en hésitant au milieu de chaque mot. C'était le rejet de mon pourvoi.

– L'arrêt sera exécuté aujourd'hui en place de Grève, a-t-il ajouté quand il a eu terminé, sans lever les yeux de dessus son papier timbré. Nous partons à sept heures et demie précises pour
50 la Conciergerie. Mon cher monsieur, aurez-vous l'extrême bonté de me suivre ?

Depuis quelques instants je ne l'écoutais plus. Le direc-teur causait avec le prêtre ; lui, avait l'œil fixé sur son papier ;

Note 1. **instamment** : avec insistance.

je regardais la porte, qui était restée entr'ouverte... – Ah ! misérable ! quatre fusiliers[1] dans le corridor !

L'huissier a répété sa question, en me regardant cette fois.

– Quand vous voudrez, lui ai-je répondu. À votre aise !

Il m'a salué en disant :

– J'aurai l'honneur de venir vous chercher dans une demi-
heure.

Alors ils m'ont laissé seul.

Un moyen de fuir, mon Dieu ! un moyen quelconque ! Il faut
que je m'évade ! il le faut ! sur-le-champ ! par les portes, par les
fenêtres, par la charpente du toit ! quand même je devrais laisser
de ma chair après les poutres !

Ô rage ! démons ! malédiction ! Il faudrait des mois pour
percer ce mur avec de bons outils, et je n'ai ni un clou, ni une
heure !

XXII

De la Conciergerie.

Me voici *transféré*, comme dit le procès-verbal.

Mais le voyage vaut la peine d'être conté.

Sept heures et demie sonnaient lorsque l'huissier s'est présenté de nouveau au seuil de mon cachot. – Monsieur, m'a-t-il
dit, je vous attends. – Hélas ! lui et d'autres !

Je me suis levé, j'ai fait un pas ; il m'a semblé que je n'en
pourrais faire un second, tant ma tête était lourde et mes jambes
faibles. Cependant je me suis remis et j'ai continué d'une allure
assez ferme. Avant de sortir du cabanon, j'y ai promené un dernier coup d'œil. – Je l'aimais, mon cachot. – Puis, je l'ai laissé
vide et ouvert ; ce qui donne à un cachot un air singulier.

Au reste, il ne le sera pas longtemps. Ce soir on y attend
quelqu'un, disaient les porte-clefs, un condamné que la cour
d'assises est en train de faire à l'heure qu'il est.

Note

1. **fusiliers** : hommes armés de fusils.

Au détour du corridor, l'aumônier nous a rejoints. Il venait de déjeuner.

Au sortir de la geôle, le directeur m'a pris affectueusement la main, et a renforcé mon escorte de quatre vétérans.

20 Devant la porte de l'infirmerie, un vieillard moribond[1] m'a crié : Au revoir !

Nous sommes arrivés dans la cour. J'ai respiré ; cela m'a fait du bien.

Nous n'avons pas marché longtemps à l'air. Une voiture atte-
25 lée de chevaux de poste stationnait dans la première cour ; c'est la même voiture qui m'avait amené ; une espèce de cabriolet oblong[2], divisé en deux sections par une grille transversale de fil de fer si épaisse qu'on la dirait tricotée. Les deux sections ont chacune une porte, l'une devant, l'autre derrière la carriole. Le
30 tout si sale, si noir, si poudreux, que le corbillard des pauvres[3] est un carrosse du sacre en comparaison.

Avant de m'ensevelir dans cette tombe à deux roues, j'ai jeté un regard dans la cour, un de ces regards désespérés devant les-quels il semble que les murs devraient crouler. La cour, espèce
35 de petite place plantée d'arbres, était plus encombrée encore de spectateurs que pour les galériens. Déjà la foule !

Comme le jour du départ de la chaîne, il tombait une pluie de la saison, une pluie fine et glacée qui tombe encore à l'heure où j'écris, qui tombera sans doute toute la journée, qui durera
40 plus que moi.

Les chemins étaient effondrés, la cour pleine de fange[4] et d'eau. J'ai eu plaisir à voir cette foule dans cette boue.

Nous sommes montés, l'huissier et un gendarme, dans le compartiment de devant ; le prêtre, moi et un gendarme dans

1. **moribond** : sur le point de mourir.
2. **cabriolet oblong** : voiture plus longue que large.

3. **corbillard des pauvres** : voiture sans décoration pour les personnes ne pouvant payer les frais d'enterrement.
4. **fange** : boue.

45 l'autre. Quatre gendarmes à cheval autour de la voiture. Ainsi, sans le postillon[1], huit hommes pour un homme.

Pendant que je montais, il y avait une vieille aux yeux gris qui disait : – J'aime encore mieux cela que la chaîne.

Je conçois. C'est un spectacle qu'on embrasse plus aisément
50 d'un coup d'œil, c'est plus tôt vu. C'est tout aussi beau et plus commode. Rien ne vous distrait. Il n'y a qu'un homme, et sur cet homme seul autant de misère que sur tous les forçats à la fois. Seulement cela est moins éparpillé ; c'est une liqueur concentrée, bien plus savoureuse.

55 La voiture s'est ébranlée[2]. Elle a fait un bruit sourd en passant sous la voûte de la grande porte, puis a débouché dans l'avenue, et les lourds battants[3] de Bicêtre se sont renfermés derrière elle. Je me sentais emporter avec stupeur, comme un homme tombé en léthargie qui ne peut ni remuer ni crier et qui entend
60 qu'on l'enterre.

J'écoutais vaguement les paquets de sonnettes pendus au cou des chevaux de poste sonner en cadence et comme par hoquets, les roues ferrées bruire sur le pavé ou cogner la caisse en changeant d'ornière, le galop sonore des gendarmes autour de la
65 carriole, le fouet claquant du postillon. Tout cela me semblait comme un tourbillon qui m'emportait.

À travers le grillage d'un judas percé en face de moi, mes yeux s'étaient fixés machinalement sur l'inscription gravée en grosses lettres au-dessus de la grande porte de Bicêtre : Hospice[4]
70 de la Vieillesse.

– Tiens, me disais-je, il paraît qu'il y a des gens qui vieillissent, là.

Et, comme on fait entre la veille et le sommeil, je retournais cette idée en tous sens dans mon esprit engourdi de douleur.
75 Tout à coup la carriole, en passant de l'avenue dans la grande

---

Notes

1. postillon : conducteur.

2. s'est ébranlée : s'est mise en mouvement.

3. battants : portes.

4. Hospice : asile.

route, a changé le point de vue de la lucarne. Les tours de Notre-Dame sont venues s'y encadrer, bleues et à demi effacées dans la brume de Paris. Sur-le-champ le point de vue de mon esprit a changé aussi. J'étais devenu machine comme la voiture. À l'idée
80 de Bicêtre a succédé l'idée des tours de Notre-Dame. – Ceux qui seront sur la tour où est le drapeau verront bien, me suis-je dit en souriant stupidement.

Je crois que c'est à ce moment-là que le prêtre s'est remis à me parler. Je l'ai laissé dire patiemment. J'avais déjà dans l'oreille
85 le bruit des roues, le galop des chevaux, le fouet du postillon. C'était un bruit de plus.

J'écoutais en silence cette chute de paroles monotones qui assoupissaient ma pensée comme le murmure d'une fontaine, et qui passaient devant moi, toujours diverses et toujours les
90 mêmes, comme les ormeaux tortus[1] de la grande route, lorsque la voix brève et saccadée[2] de l'huissier, placé sur le devant, est venue subitement me secouer.

– Eh bien ! monsieur l'abbé, disait-il avec un accent presque gai, qu'est-ce que vous savez de nouveau ?
95 C'est vers le prêtre qu'il se retournait en parlant ainsi.

L'aumônier, qui me parlait sans relâche[3], et que la voiture assourdissait[4], n'a pas répondu.

– Hé ! hé ! a repris l'huissier en haussant la voix pour avoir le dessus sur le bruit des roues ; infernale voiture !
100 Infernale ! En effet.

Il a continué :

– Sans doute, c'est le cahot ; on ne s'entend pas. Qu'est-ce que je voulais donc dire ? Faites-moi le plaisir de m'apprendre ce que je voulais dire, monsieur l'abbé ? – Ah ! savez-vous la grande
105 nouvelle de Paris, aujourd'hui ?

J'ai tressailli, comme s'il parlait de moi.

Notes

1. **ormeaux tortus** : arbres tordus.
2. **saccadée** : hachée.
3. **sans relâche** : sans cesse.
4. **que la voiture assourdissait** : dont la voiture recouvrait la voix.

– Non, a dit le prêtre, qui avait enfin entendu, je n'ai pas eu le temps de lire les journaux ce matin. Je verrai cela ce soir. Quand je suis occupé comme cela toute la journée, je recommande au
110 portier de me garder mes journaux, et je les lis en rentrant.

– Bah ! a repris l'huissier, il est impossible que vous ne sachiez pas cela. La nouvelle de Paris ! la nouvelle de ce matin !

J'ai pris la parole : – Je crois la savoir.

L'huissier m'a regardé.

115 – Vous ! vraiment ! En ce cas, qu'en dites-vous ?

– Vous êtes curieux ! lui ai-je dit.

– Pourquoi, monsieur ? a répliqué l'huissier. Chacun a son opinion politique. Je vous estime trop pour croire que vous n'avez pas la vôtre. Quant à moi, je suis tout à fait d'avis du
120 rétablissement de la garde nationale[1]. J'étais sergent de ma compagnie, et, ma foi, c'était fort agréable.

Je l'ai interrompu.

– Je ne croyais pas que ce fût de cela qu'il s'agissait.

– Et de quoi donc ? vous disiez savoir la nouvelle...

125 – Je parlais d'une autre, dont Paris s'occupe aussi aujourd'hui.

L'imbécile n'a pas compris ; sa curiosité s'est éveillée.

– Une autre nouvelle ? Où diable avez-vous pu apprendre des nouvelles ? Laquelle, de grâce, mon cher monsieur ? Savez-vous ce que c'est, monsieur l'abbé ? êtes-vous plus au courant
130 que moi ? Mettez-moi au fait[2], je vous prie. De quoi s'agit-il ?

– Voyez-vous, j'aime les nouvelles. Je les conte à monsieur le président, et cela l'amuse.

Et mille billevesées[3]. Il se tournait tour à tour vers le prêtre et vers moi, et je ne répondais qu'en haussant les épaules.

135 – Eh bien ! m'a-t-il dit, à quoi pensez-vous donc ?

– Je pense, ai-je répondu, que je ne penserai plus ce soir.

– Ah ! c'est cela ! a-t-il répliqué. Allons, vous êtes trop triste !

M. Castaing causait.

Notes

1. **garde nationale** : civils volontaires gardant la ville.

2. **au fait** : au courant.

3. **billevesées** : bêtises.

Puis, après un silence :

140 – J'ai conduit M. Papavoine[1] ; il avait sa casquette de loutre et fumait son cigare. Quant aux jeunes gens de La Rochelle[2], ils ne parlaient qu'entre eux. Mais ils parlaient.

Il a fait encore une pause, et a poursuivi :

– Des fous ! des enthousiastes ! Ils avaient l'air de mépriser
145 tout le monde. Pour ce qui est de vous, je vous trouve vraiment bien pensif, jeune homme.

– Jeune homme ! lui ai-je dit, je suis plus vieux que vous ; chaque quart d'heure qui s'écoule me vieillit d'une année.

Il s'est retourné, m'a regardé quelques minutes avec un éton-
150 nement inepte[3], puis s'est mis à ricaner lourdement.

– Allons, vous voulez rire, plus vieux que moi ! je serais votre grand-père.

– Je ne veux pas rire, lui ai-je répondu gravement. Il a ouvert sa tabatière.

155 – Tenez, cher monsieur, ne vous fâchez pas ; une prise de tabac, et ne me gardez pas rancune.

– N'ayez pas peur ; je n'aurai pas longtemps à vous la garder.

En ce moment sa tabatière, qu'il me tendait, a rencontré le grillage qui nous séparait. Un cahot a fait qu'elle l'a heurté
160 assez violemment et est tombée toute ouverte sous les pieds du gendarme.

– Maudit grillage ! s'est écrié l'huissier.

Il s'est tourné vers moi.

– Eh bien ! ne suis-je pas malheureux ? tout mon tabac est
165 perdu !

– Je perds plus que vous, ai-je répondu en souriant.

Il a essayé de ramasser son tabac, en grommelant entre ses dents :

Notes

1. M. Papavoine : condamné déjà évoqué (*cf.* p. 70).

2. jeunes gens de La Rochelle : quatre sergents qui ont comploté contre Louis XVIII.

3. inepte : idiot.

– Plus que moi ! cela est facile à dire. Pas de tabac jusqu'à
170 Paris ! c'est terrible !

L'aumônier alors lui a adressé quelques paroles de consolation, et je ne sais si j'étais préoccupé, mais il m'a semblé que c'était la suite de l'exhortation[1] dont j'avais eu le commencement. Peu à peu la conversation s'est engagée entre le prêtre et
175 l'huissier ; je les ai laissés parler de leur côté, et je me suis mis à penser du mien.

En abordant la barrière, j'étais toujours préoccupé sans doute, mais Paris m'a paru faire un plus grand bruit qu'à l'ordinaire.

La voiture s'est arrêtée un moment devant l'octroi[2]. Les doua-
180 niers de ville l'ont inspectée. Si c'eût été un mouton ou un bœuf qu'on eût mené à la boucherie, il aurait fallu leur jeter une bourse d'argent ; mais une tête humaine ne paie pas de droit. Nous avons passé.

Le boulevard franchi, la carriole s'est enfoncée au grand trot
185 dans ces vieilles rues tortueuses[3] du faubourg Saint-Marceau et de la Cité, qui serpentent et s'entrecoupent comme les mille chemins d'une fourmilière. Sur le pavé de ces rues étroites le roulement de la voiture est devenu si bruyant et si rapide, que je n'entendais plus rien du bruit extérieur. Quand je jetais les
190 yeux par la petite lucarne carrée, il me semblait que le flot des passants s'arrêtait pour regarder la voiture, et que des bandes d'enfants couraient sur sa trace. Il m'a semblé aussi voir de temps en temps dans les carrefours çà et là un homme ou une vieille en haillons, quelquefois les deux ensemble, tenant en main une
195 liasse de feuilles imprimées que les passants se disputaient, en ouvrant la bouche comme pour un grand cri.

Huit heures et demie sonnaient à l'horloge du Palais au moment où nous sommes arrivés dans la cour de la Conciergerie.

Notes

1. exhortation : appel à la piété.
2. octroi : barrière et bureau de douane à l'entrée des villes percevant des taxes sur les marchandises importées.

3. tortueuses : tordues.

| *Le Dernier Jour d'un condamné* de Victor Hugo

La vue de ce grand escalier, de cette noire chapelle, de ces gui-
200 chets sinistres, m'a glacé. Quand la voiture s'est arrêtée, j'ai cru
que les battements de mon cœur allaient s'arrêter aussi.

J'ai recueilli mes forces ; la porte s'est ouverte avec la rapi-
dité de l'éclair ; j'ai sauté à bas du cachot roulant, et je me suis
enfoncé à grands pas sous la voûte entre deux haies de soldats.
205 Il s'était déjà formé une foule sur mon passage.

XXIII

1   Tant que j'ai marché dans les galeries publiques du Palais
de Justice, je me suis senti presque libre et à l'aise ; mais toute
ma résolution m'a abandonné quand on a ouvert devant moi
des portes basses, des escaliers secrets, des couloirs intérieurs,
5 de longs corridors étouffés et sourds, où il n'entre que ceux qui
condamnent ou ceux qui sont condamnés.

L'huissier m'accompagnait toujours. Le prêtre m'avait quitté
pour revenir dans deux heures : il avait ses affaires.

On m'a conduit au cabinet du directeur, entre les mains
10 duquel l'huissier m'a remis. C'était un échange. Le directeur
l'a prié d'attendre un instant, lui annonçant qu'il allait avoir
du gibier[1] à lui remettre, afin qu'il le conduisît sur-le-champ à
Bicêtre par le retour de la carriole. Sans doute le condamné d'aujourd'hui, celui qui doit coucher ce soir sur la botte de paille que
15 je n'ai pas eu le temps d'user.

– C'est bon, a dit l'huissier au directeur, je vais attendre un
moment ; nous ferons les deux procès-verbaux à la fois, cela
s'arrange bien.

En attendant, on m'a déposé dans un petit cabinet attenant à
20 celui du directeur. Là, on m'a laissé seul, bien verrouillé.

Je ne sais à quoi je pensais, ni depuis combien de temps
j'étais là, quand un brusque et violent éclat de rire à mon oreille
m'a réveillé de ma rêverie.

Note   1. **du gibier :** un condamné à mort.

J'ai levé les yeux en tressaillant. Je n'étais plus seul dans la
25 cellule. Un homme s'y trouvait avec moi, un homme d'environ
cinquante-cinq ans, de moyenne taille ; ridé, voûté, grisonnant ;
à membres trapus ; avec un regard louche dans des yeux gris, un
rire amer sur le visage ; sale, en guenilles, demi-nu, repoussant
à voir.

30 Il paraît que la porte s'était ouverte, l'avait vomi, puis s'était
refermée sans que je m'en fusse aperçu. Si la mort pouvait venir
ainsi !

Nous nous sommes regardés quelques secondes fixement,
l'homme et moi ; lui, prolongeant son rire qui ressemblait à un
35 râle ; moi, demi-étonné, demi-effrayé.

– Qui êtes-vous ? lui ai-je dit enfin.

– Drôle de demande ! a-t-il répondu. Un friauche.

– Un friauche ! Qu'est-ce que cela veut dire ?

Cette question a redoublé sa gaieté.

40 – Cela veut dire, s'est-il écrié au milieu d'un éclat de rire, que
le taule[1] jouera au panier avec ma sorbonne[2] dans six semaines,
comme il va faire avec ta tronche[3] dans six heures. – Ha ! ha ! il
paraît que tu comprends maintenant.

En effet, j'étais pâle, et mes cheveux se dressaient. C'était
45 l'autre condamné, le condamné du jour, celui qu'on attendait à
Bicêtre, mon héritier.

Il a continué :

– Que veux-tu ? voilà mon histoire à moi. Je suis fils d'un bon
peigre[4] ; c'est dommage que Charlot[5] ait pris la peine un jour de
50 lui attacher sa cravate[6]. C'était quand régnait la potence, par la
grâce de Dieu. À six ans, je n'avais plus ni père ni mère ; l'été, je
faisais la roue dans la poussière au bord des routes, pour qu'on
me jetât un sou par la portière des chaises de poste ; l'hiver,
j'allais pieds nus dans la boue en soufflant dans mes doigts tout

Notes

1. **taule** : bourreau.
2. **sorbonne** : tête.
3. **tronche** : tête coupée.
4. **peigre** : voleur.
5. *« Le bourreau. »* (Note de Victor Hugo.)
6. **cravate** : collier de fer pour bagnard.

rouges ; on voyait mes cuisses à travers mon pantalon. À neuf
ans, j'ai commencé à me servir de mes louches[1], de temps en
temps je vidais une fouillouse[2], je filais une pelure[3] ; à dix ans,
j'étais un marlou[4]. Puis j'ai fait des connaissances ; à dix-sept,
j'étais un grinche[5]. Je forçais une boutanche, je faussais une tour-
nante[6]. On m'a pris. J'avais l'âge, on m'a envoyé ramer dans la
petite marine[7]. Le bagne, c'est dur ; coucher sur une planche, *bylon*
boire de l'eau claire, manger du pain noir, traîner un imbécile *prison*
de boulet qui ne sert à rien ; des coups de bâton et des coups de
soleil. Avec cela on est tondu, et moi qui avais de beaux cheveux
châtains ! N'importe !... j'ai fait mon temps. Quinze ans, cela
s'arrache ! J'avais trente-deux ans. Un beau matin on me donna
une feuille de route et soixante-six francs que je m'étais amassés
dans mes quinze ans de galères, en travaillant seize heures par
jour, trente jours par mois, et douze mois par année. C'est égal,
je voulais être honnête homme avec mes soixante-six francs, et
j'avais de plus beaux sentiments sous mes guenilles qu'il n'y en
a sous une serpillière de ratichon[8]. Mais que les diables soient
avec le passeport ! il était jaune, et on avait écrit dessus forçat
libéré. Il fallait montrer cela partout où je passais et le présenter
tous les huit jours au maire du village où l'on me forçait de tapi-
quer[9]. La belle recommandation ! un galérien ! Je faisais peur, et
les petits enfants se sauvaient, et l'on fermait les portes. Personne
ne voulait me donner d'ouvrage. Je mangeai mes soixante-six
francs. Et puis, il fallut vivre. Je montrai mes bras bons au travail, on ferma les portes. J'offris ma journée pour quinze sous,
pour dix sous, pour cinq sous. Point. Que faire ? Un jour, j'avais
faim. Je donnai un coup de coude dans le carreau d'un boulanger ; j'empoignai un pain, et le boulanger m'empoigna ; je ne

---

Notes

1. « *Mes mains.* » (Note de V. H.)
2. « *Une poche.* » (Note de V. H.)
3. « *Je volais un manteau.* » (Note de V. H.)
4. « *Un filou.* » (Note de V. H.)
5. « *Un voleur.* » (Note de V. H.)

6. « *Je forçais une boutique, je faussais une clef.* » (Note de V. H.)
7. « *Aux galères.* » (Note de V. H.) *a ma bagT*
8. « *Une soutane d'abbé.* » (Note de V. H.)
9. « *Habiter.* » (Note de V. H.)

mangeai pas le pain, et j'eus les galères à perpétuité, avec trois
lettres de feu[1] sur l'épaule. – Je te montrerai, si tu veux. – On
appelle cette justice-là la récidive. Me voilà donc cheval de
retour[2]. On me remit à Toulon ; cette fois avec les bonnets verts[3].
Il fallait m'évader. Pour cela, je n'avais que trois murs à percer,
deux chaînes à couper, et j'avais un clou. Je m'évadai. On tira
le canon d'alerte ; car, nous autres, nous sommes, comme les
cardinaux de Rome, habillés de rouge, et on tire le canon quand
nous partons. Leur poudre alla aux moineaux. Cette fois, pas de
passeport jaune, mais pas d'argent non plus. Je rencontrai des
camarades qui avaient aussi fait leur temps ou cassé leur ficelle.
Leur coire[4] me proposa d'être des leurs, on faisait la grande sou-
lasse sur le trimar[5]. J'acceptai, et je me mis à tuer pour vivre.
C'était tantôt une diligence, tantôt une chaise de poste, tantôt un
marchand de bœufs à cheval. On prenait l'argent, on laissait aller
au hasard la bête ou la voiture, et l'on enterrait l'homme sous un
arbre, en ayant soin que les pieds ne sortissent pas ; et puis on
dansait sur la fosse, pour que la terre ne parût pas fraîchement
remuée. J'ai vieilli comme cela, gîtant[6] dans les broussailles, dor-
mant aux belles étoiles, traqué de bois en bois, mais du moins
libre et à moi. Tout a une fin, et autant celle-là qu'une autre. Les
marchands de lacets[7], une belle nuit, nous ont pris au collet. Mes
fanandels[8] se sont sauvés ; mais moi, le plus vieux, je suis resté
sous la griffe de ces chats à chapeaux galonnés. On m'a amené
ici. J'avais déjà passé par tous les échelons de l'échelle, excepté
un. Avoir volé un mouchoir ou tué un homme, c'était tout un
pour moi désormais ; il y avait encore une récidive à m'appliquer. Je n'avais plus qu'à passer par le faucheur[9]. Mon affaire a

---

Notes

1. **trois lettres de feu :** TFP (travaux forcés à perpétuité).

2. « *Ramené au bagne.* » (Note de V. H.)

3. « *Les condamnés à perpétuité.* » (Note de V. H.)

4. « *Leur chef.* » (Note de V. H.)

5. « *On assassinait sur les grands chemins.* » (Note de V. H.)

6. **gîtant :** couchant.

7. « *Les gendarmes.* » (Note de V. H.)

8. « *Camarades.* » (Note de V. H.)

9. « *Le bourreau.* » (Note de V. H.)

été courte. Ma foi, je commençais à vieillir et à n'être plus bon à rien. Mon père a épousé la veuve[1], moi je me retire à l'abbaye de Mont-à-Regret[2]. – Voilà, camarade.

115 J'étais resté stupide en l'écoutant. Il s'est remis à rire plus haut encore qu'en commençant, et a voulu me prendre la main. J'ai reculé avec horreur.

– L'ami, m'a-t-il dit, tu n'as pas l'air brave. Ne va pas faire le sinvre devant la carline[3]. Vois-tu, il y a un mauvais moment à 120 passer sur la placarde[4] ; mais cela est sitôt fait ! Je voudrais être là pour te montrer la culbute. Mille dieux ! j'ai envie de ne pas me pourvoir[5], si l'on veut me faucher aujourd'hui avec toi. Le même prêtre nous servira à tous deux ; ça m'est égal d'avoir tes restes. Tu vois que je suis un bon garçon. Hein ! dis, veux-tu ? d'amitié !

125 Il a encore fait un pas pour s'approcher de moi.

– Monsieur, lui ai-je répondu en le repoussant, je vous remercie.

Nouveaux éclats de rire à ma réponse.

– Ah ! ah ! monsieur, vousailles[6] êtes un marquis ! c'est un marquis !

130 Je l'ai interrompu :

– Mon ami, j'ai besoin de me recueillir, laissez-moi.

La gravité de ma parole l'a rendu pensif tout à coup. Il a remué sa tête grise et presque chauve ; puis, creusant avec ses ongles sa poitrine velue, qui s'offrait nue sous sa chemise ouverte :

135 – Je comprends, a-t-il murmuré entre ses dents ; au fait, le sanglier[7] !...

Puis, après quelques minutes de silence :

– Tenez, m'a-t-il dit presque timidement, vous êtes un marquis, c'est fort bien ; mais vous avez là une belle redingote qui 140 ne vous servira plus à grand'chose ! le taule la prendra. Donnez-la-moi, je la vendrai pour avoir du tabac.

Notes

1. « *A été pendu.* » (Note de V. H.)
2. « *La guillotine.* » (Note de V. H.)
3. « *Le poltron devant la mort.* »
(Note de V. H.)
4. « *Place de Grève.* » (Note de V. H.)
5. **pourvoir** : pourvoir en cassation.
6. « *Vous.* » (Note de V. H.)
7. « *Le prêtre.* » (Note de V. H.)

J'ai ôté ma redingote et je la lui ai donnée. Il s'est mis à battre des mains avec une joie d'enfant. Puis, voyant que j'étais en chemise et que je grelottais :

145 – Vous avez froid, monsieur, mettez ceci ; il pleut, et vous seriez mouillé ; et puis il faut être décemment sur la charrette.

En parlant ainsi, il ôtait sa grosse veste de laine grise et la passait dans mes bras. Je le laissais faire.

Alors j'ai été m'appuyer contre le mur, et je ne saurais dire
150 quel effet me faisait cet homme. Il s'était mis à examiner la redingote que je lui avais donnée, et poussait à chaque instant des cris de joie.

– Les poches sont toutes neuves ! le collet[1] n'est pas usé ! – j'en aurai au moins quinze francs. – Quel bonheur ! du tabac
155 pour mes six semaines !

La porte s'est rouverte. On venait nous chercher tous deux ; moi, pour me conduire à la chambre où les condamnés attendent l'heure ; lui, pour le mener à Bicêtre. Il s'est placé en riant au milieu du piquet[2] qui devait l'emmener, et il disait aux
160 gendarmes :

– Ah çà ! ne vous trompez pas ; nous avons changé de pelure[3], monsieur et moi ; mais ne me prenez pas à sa place. Diable ! cela ne m'arrangerait pas, maintenant que j'ai de quoi avoir du tabac !

> suite, p. 115

Notes
1. collet : col.
2. piquet : détachement de soldats.
3. pelure : manteau.

Le Dernier Jour d'un condamné de Victor Hugo

Une histoire dans l'histoire

L'HISTOIRE DU FRIAUCHE

❶ Pourquoi le condamné à mort et le friauche se rencontrent-ils ?

❷ Pourquoi Victor Hugo a-t-il autant annoté ce chapitre ?

❸ Retrouvez la phrase qui montre que le condamné ne maîtrise pas l'argot. Qu'est-ce que cela signifie, à votre avis ?

❹ Relisez le chapitre XXIII, puis complétez ce tableau.

	Le friauche	Le narrateur
Ton dominant du récit	Ironique.	
Registre de langue		
Milieu social		
Crimes commis		On ne sait pas.
Motif invoqué	Nécessité.	
Biographie		Incomplète.

❺ En quoi, d'après ce tableau et le chapitre XXIII, les deux récits et les deux personnages s'opposent-ils ?

Ironie

Procédé qui consiste à dire le contraire de ce que l'on souhaite faire entendre. Ex. : vous avez obtenu une mauvaise note à votre devoir et votre professeur vous félicite d'un ton ironique en vous disant : « Cette fois, vous vous êtes surpassé(e) ! »

---

❻ Relevez un passage ironique dans le récit du friauche.

L'histoire d'un misérable

7 Expliquez le terme *nécessité* qui vous est donné dans le tableau. Illustrez-le par deux exemples tirés du récit du friauche.

8 Le friauche a-t-il choisi sa vie ? S'il est coupable, est-il entièrement responsable de ses actes ? Justifiez votre réponse en vous appuyant sur son récit.

9 Lisez les lignes 233 à 256 (pp. 25-26) de la préface et trouvez, dans ce passage, une phrase qui pourrait résumer la vie du friauche.

10 D'après ce passage, qui aurait pu intervenir dans la vie de ce misérable et comment aurait-il pu l'aider à rester dans le droit chemin ?

Coupable ou victime ?

11 Rédigez un extrait du réquisitoire du procureur de la République qui demande l'exécution de l'accusé (le futur friauche), puis un extrait de la plaidoirie de l'avocat (30 lignes).

Au tribunal

12 Avec un(e) camarade de classe, modifiez, si nécessaire, les deux textes que vous avez rédigés (question 11) afin de les interpréter à l'oral.

XXIV

1 Ce vieux scélérat[1], il m'a pris ma redingote, car je ne la lui ai pas donnée, et puis il m'a laissé cette guenille, sa veste infâme. De qui vais-je avoir l'air ?

Je ne lui ai pas laissé prendre ma redingote par insouciance
5 ou par charité. Non ; mais parce qu'il était plus fort que moi. Si j'avais refusé, il m'aurait battu avec ses gros poings.

Ah bien oui, charité ! j'étais plein de mauvais sentiments. J'aurais voulu pouvoir l'étrangler de mes mains, le vieux voleur ! pouvoir le piler sous mes pieds !

10 Je me sens le cœur plein de rage et d'amertume. Je crois que la poche au fiel[2] a crevé. La mort rend méchant.

XXV

1 Ils m'ont amené dans une cellule où il n'y a que les quatre murs, avec beaucoup de barreaux à la fenêtre et beaucoup de verrous à la porte, cela va sans dire.

J'ai demandé une table, une chaise, et ce qu'il faut pour
5 écrire. On m'a apporté tout cela.

Puis j'ai demandé un lit. Le guichetier m'a regardé de ce regard étonné qui semble dire : – À quoi bon ?

Cependant ils ont dressé un lit de sangle dans le coin. Mais en même temps un gendarme est venu s'installer dans ce qu'ils
10 appellent *ma chambre*. Est-ce qu'ils ont peur que je ne m'étrangle avec le matelas ?

XXVI

1 Il est dix heures.

Ô ma pauvre petite fille ! encore six heures, et je serai mort ! je serai quelque chose d'immonde qui traînera sur la table froide des amphithéâtres[3] ; une tête qu'on moulera d'un côté, un tronc

---

Notes

1. **scélérat :** brigand.
2. **fiel :** bile ; par extension, méchanceté.

3. **amphithéâtres :** salles universitaires de médecine destinées à la dissection et aux études anatomiques.

5 qu'on disséquera de l'autre ; puis de ce qui restera, on en mettra plein une bière¹, et le tout ira à Clamart.

Voilà ce qu'ils vont faire de ton père, ces hommes dont aucun ne me hait, qui tous me plaignent et tous pourraient me sauver. Ils vont me tuer. Comprends-tu cela ? Marie ? me tuer de sang-
10 froid, en cérémonie, pour le bien de la chose ! Ah ! grand Dieu !

Pauvre petite ! ton père qui t'aimait tant, ton père qui baisait ton petit cou blanc et parfumé, qui passait la main sans cesse dans les boucles de tes cheveux comme sur de la soie, qui pre-nait ton joli visage rond dans sa main, qui te faisait sauter sur
15 ses genoux, et le soir joignait tes deux petites mains pour prier Dieu !

Qui est-ce qui te fera tout cela maintenant ? Qui est-ce qui t'aimera ? Tous les enfants de ton âge auront des pères, excepté toi. Comment te déshabitueras-tu², mon enfant, du jour de l'an,
20 des étrennes, des beaux joujoux, des bonbons et des baisers ? – Comment te déshabitueras-tu, malheureuse orpheline, de boire et de manger ?

Oh ! si ces jurés l'avaient vue, au moins, ma jolie petite Marie ! ils auraient compris qu'il ne faut pas tuer le père d'un
25 enfant de trois ans.

Et quand elle sera grande, si elle va jusque-là, que deviendra-t-elle ? Son père sera un des souvenirs du peuple de Paris. Elle rougira de moi et de mon nom ; elle sera méprisée, repoussée, vile³ à cause de moi, de moi qui l'aime de toutes les tendresses
30 de mon cœur. Ô ma petite Marie bien-aimée ! Est-il bien vrai que tu auras honte et horreur de moi ?

Misérable ! quel crime j'ai commis, et quel crime je fais com-mettre à la société !

Oh ! est-il bien vrai que je vais mourir avant la fin du jour ?
35 Est-il bien vrai que c'est moi ? Ce bruit sourd de cris que j'entends

Notes
1. **une bière** : un cercueil.
2. **te déshabitueras-tu** : perdras-tu l'habitude.
3. **vile** : déshonorée.

au-dehors, ce flot de peuple joyeux qui déjà se hâte sur les quais, ces gendarmes qui s'apprêtent dans leurs casernes, ce prêtre en robe noire, cet autre homme aux mains rouges, c'est pour moi ! c'est moi qui vais mourir ! moi, le même qui est ici, qui vit, qui
40 se meut, qui respire, qui est assis à cette table, laquelle ressemble à une autre table, et pourrait aussi bien être ailleurs ; moi, enfin, ce moi que je touche et que je sens, et dont le vêtement fait les plis que voilà !

XXVII

1 Encore si je savais comment cela est fait, et de quelle façon on meurt là-dessus ! mais c'est horrible, je ne le sais pas.

Le nom de la chose est effroyable, et je ne comprends point comment j'ai pu jusqu'à présent l'écrire et le prononcer.

5 La combinaison de ces dix lettres, leur aspect, leur physio-nomie[1] est bien faite pour réveiller une idée épouvantable, et le médecin de malheur qui a inventé la chose avait un nom prédestiné.

L'image que j'y attache, à ce mot hideux, est vague, indéter-
10 minée, et d'autant plus sinistre. Chaque syllabe est comme une pièce de la machine. J'en construis et j'en démolis sans cesse dans mon esprit la monstrueuse charpente.

Je n'ose faire une question là-dessus, mais il est affreux de ne savoir ce que c'est, ni comment s'y prendre. Il paraît qu'il y a une
15 bascule et qu'on vous couche sur le ventre... – Ah ! mes cheveux blanchiront avant que ma tête ne tombe !

XXVIII

1 Je l'ai cependant entrevue une fois.

Je passais sur la place de Grève, en voiture, un jour, vers onze heures du matin. Tout à coup la voiture s'arrêta.

1. **physionomie** : aspect.

Il y avait foule sur la place. Je mis la tête à la portière. Une
5 populace¹ encombrait la Grève et le quai, et des femmes, des
hommes, des enfants étaient debout sur le parapet. Au-dessus
des têtes, on voyait une espèce d'estrade en bois rouge que trois
hommes échafaudaient.

Un condamné devait être exécuté le jour même, et l'on bâtis-
10 sait la machine.

Je détournai la tête avant d'avoir vu. À côté de la voiture, il y
avait une femme qui disait à un enfant :

– Tiens, regarde ! le couteau coule mal, ils vont graisser la
rainure avec un bout de chandelle.

15 C'est probablement là qu'ils en sont aujourd'hui. Onze heures
viennent de sonner. Ils graissent sans doute la rainure.

Ah ! cette fois, malheureux, je ne détournerai pas la tête.

> **suite, p. 121**

Note | **1. Une populace :** le peuple (péjoratif).

L'innommable

Un mot imprononçable

1 Quel est ce mot de 10 lettres dont parle le narrateur ?

2 Dans le chapitre XXVII, par quelle expression Victor Hugo fait-il allusion à M. Guillotin ? Pourquoi ?

3 Relevez, dans les deux chapitres, tous les termes qui servent à remplacer le mot que le condamné ne parvient plus à prononcer et précisez leur nature grammaticale.

Substitut	Nature grammaticale

4 Pourquoi le narrateur ne peut-il pas nommer cette « *chose* » ?

Une obsession

5 Comparez et expliquez les deux phrases qui concluent les chapitres XXVII et XXVIII (type de phrase, termes communs, forme verbale).

6 Complétez ce tableau avec le thème et la temporalité correspondante de chaque chapitre.

	Thème principal	Temporalité
Chapitre XXVII	Le mot imprononçable.	
Chapitre XXVIII		
Chapitre XXXIX	Le condamné se voit exécuté.	Futur.

❼ Quel événement rapporté au chapitre XXVIII a été vécu par Victor Hugo ? Aidez-vous de la bande dessinée (pp. 6 à 9) pour répondre.

❽ Au chapitre XXXIX, qui est évoqué à travers le pronom personnel « *ils* » (l. 1, p. 134) ? Cochez la ou les bonnes réponses.

☐ les gens de justice

☐ l'inventeur de la guillotine

☐ les autres prisonniers

☐ tous ceux qui ne sont pas condamnés

☐ les bourreaux

UNE AUTOBIOGRAPHIE SANGLANTE

❾ En vous aidant du dossier (p. 168) et en vous inspirant des anecdotes sanglantes que Victor Hugo raconte sur l'échafaud dans sa préface de 1832, faites parler la guillotine à la 1ʳᵉ personne (30 lignes).

UNE VERSION MODERNE DE L'INNOMMABLE

❿ Présentez, dans un premier temps, le système pénal actuel du Texas (États-Unis), puis comparez-le avec celui de la France avant 1981.

XXIX

1 Ô ma grâce ! ma grâce ! on me fera peut-être grâce. Le roi ne
m'en veut pas. Qu'on aille chercher mon avocat ! vite l'avocat !
Je veux bien des galères. Cinq ans de galères, et que tout soit dit,
– ou vingt ans, – ou à perpétuité avec le fer rouge. Mais grâce
5 de la vie !

Un forçat, cela marche encore, cela va et vient, cela voit le soleil.

XXX

1 Le prêtre est revenu.

Il a des cheveux blancs, l'air très doux, une bonne et respec-
table figure ; c'est en effet un homme excellent et charitable. Ce
matin, je l'ai vu vider sa bourse dans les mains des prisonniers.
5 D'où vient que sa voix n'a rien qui émeuve et qui soit ému ?
D'où vient qu'il ne m'a rien dit encore qui m'ait pris par l'intelligence ou par le cœur ?

Ce matin, j'étais égaré. J'ai à peine entendu ce qu'il m'a dit.
Cependant ses paroles m'ont semblé inutiles, et je suis resté
10 indifférent ; elles ont glissé comme cette pluie froide sur cette
vitre glacée.

Cependant, quand il est rentré tout à l'heure près de moi, sa
vue m'a fait du bien. C'est parmi tous ces hommes le seul qui
soit encore homme pour moi, me suis-je dit. Et il m'a pris une
15 ardente soif de bonnes et consolantes paroles.

Nous nous sommes assis, lui sur la chaise, moi sur le lit. Il
m'a dit : – Mon fils... – Ce mot m'a ouvert le cœur. Il a continué :

– Mon fils, croyez-vous en Dieu ?

– Oui, mon père, lui ai-je répondu.

20 – Croyez-vous en la sainte église catholique, apostolique et
romaine ?

– Volontiers, lui ai-je dit.

– Mon fils, a-t-il repris, vous avez l'air de douter.

Alors il s'est mis à parler. Il a parlé longtemps ; il a dit beau-
25 coup de paroles ; puis, quand il a cru avoir fini, il s'est levé et m'a

regardé pour la première fois depuis le commencement de son discours, en m'interrogeant :

– Eh bien ?

Je proteste que je l'avais écouté avec avidité d'abord, puis avec attention, puis avec dévouement.

Je me suis levé aussi.

– Monsieur, lui ai-je répondu, laissez-moi seul, je vous prie.

Il m'a demandé :

– Quand reviendrai-je ?

– Je vous le ferai savoir.

Alors il est sorti sans colère, mais en hochant la tête, comme se disant à lui-même :

– Un impie[1] !

Non, si bas que je sois tombé, je ne suis pas un impie, et Dieu m'est témoin que je crois en lui. Mais que m'a-t-il dit, ce vieillard ? rien de senti, rien d'attendri, rien de pleuré, rien d'arraché de l'âme, rien qui vînt de son cœur pour aller au mien, rien qui fût de lui à moi. Au contraire, je ne sais quoi de vague, d'inaccentué[2], d'applicable à tout et à tous ; emphatique[3] où il eût été besoin de profondeur, plat où il eût fallu être simple ; une espèce de sermon sentimental et d'élégie théologique[4]. Çà et là, une citation latine en latin. Saint Augustin, saint Grégoire[5], que sais-je ? Et puis, il avait l'air de réciter une leçon déjà vingt fois récitée, de repasser un thème, oblitéré[6] dans sa mémoire à force d'être su. Pas un regard dans l'œil, pas un accent dans la voix, pas un geste dans les mains.

Et comment en serait-il autrement ? Ce prêtre est l'aumônier en titre de la prison. Son état est de consoler et d'exhorter[7], et

---

Notes

1. **Un impie :** une personne qui ne croit pas en Dieu.

2. **d'inaccentué :** de plat.

3. **emphatique :** discours pompeux.

4. **élégie théologique :** poésie consacrée à Dieu.

5. **Saint Augustin, saint Grégoire :** théologiens célèbres.

6. **oblitéré :** effacé.

7. **exhorter :** inciter à la pitié.

il vit de cela. Les forçats, les patients sont du ressort de son élo-
55 quence[1]. Il les confesse et les assiste, parce qu'il a sa place à faire.
Il a vieilli à mener des hommes mourir. Depuis longtemps il est
habitué à ce qui fait frissonner les autres ; ses cheveux, bien pou-
drés à blanc, ne se dressent plus ; le bagne et l'échafaud sont de
tous les jours pour lui. Il est blasé. Probablement il a son cahier ;
60 telle page les galériens, telle page les condamnés à mort. On
l'avertit la veille qu'il y aura quelqu'un à consoler le lendemain
à telle heure ; il demande ce que c'est, galérien ou supplicié ? en
relit la page ; et puis il vient. De cette façon, il advient que ceux
qui vont à Toulon et ceux qui vont à la Grève sont un lieu com-
65 mun[2] pour lui, et qu'il est un lieu commun pour eux.

Oh ! qu'on m'aille donc, au lieu de cela, chercher quelque
jeune vicaire[3], quelque vieux curé, au hasard, dans la première
paroisse venue ; qu'on le prenne au coin de son feu, lisant son
livre et ne s'attendant à rien, et qu'on lui dise :

70 — Il y a un homme qui va mourir, et il faut que ce soit vous
qui le consoliez. Il faut que vous soyez là quand on lui liera les
mains, là quand on lui coupera les cheveux ; que vous montiez
dans sa charrette avec votre crucifix pour lui cacher le bourreau ;
que vous soyez cahoté avec lui par le pavé jusqu'à la Grève ;
75 que vous traversiez avec lui l'horrible foule buveuse de sang ;
que vous l'embrassiez au pied de l'échafaud, et que vous restiez
jusqu'à ce que la tête soit ici et le corps là.

Alors, qu'on me l'amène, tout palpitant, tout frissonnant de
la tête aux pieds ; qu'on me jette entre ses bras, à ses genoux ;
80 et il pleurera, et nous pleurerons, et il sera éloquent, et je serai
consolé, et mon cœur se dégonflera dans le sien, et il prendra
mon âme, et je prendrai son Dieu.

Mais ce bon vieillard, qu'est-il pour moi ? que suis-je pour
lui ? un individu de l'espèce malheureuse, une ombre comme il
85 en a déjà tant vu, une unité à ajouter au chiffre des exécutions.

Notes

1. éloquence : discours.

2. un lieu commun : une chose banale,
répétée.

3. vicaire : prêtre.

J'ai peut-être tort de le repousser ainsi ; c'est lui qui est bon et moi qui suis mauvais. Hélas ! ce n'est pas ma faute. C'est mon souffle de condamné qui gâte et flétrit tout.

On vient de m'apporter de la nourriture ; ils ont cru que je
90 devais avoir besoin. Une table délicate et recherchée, un poulet, il me semble, et autre chose encore. Eh bien ! j'ai essayé de manger ; mais, à la première bouchée, tout est tombé de ma bouche, tant cela m'a paru amer et fétide[1] !

XXXI

1 Il vient d'entrer un monsieur, le chapeau sur la tête, qui m'a à peine regardé, puis a ouvert un pied-de-roi[2] et s'est mis à mesurer de bas en haut les pierres du mur, parlant d'une voix très haute pour dire tantôt : *C'est cela* ; tantôt : *Ce n'est pas cela.*

5 J'ai demandé au gendarme qui c'était. Il paraît que c'est une espèce de sous-architecte employé à la prison.

De son côté, sa curiosité s'est éveillée sur mon compte. Il a échangé quelques demi-mots avec le porte-clefs qui l'accompagnait ; puis a fixé un instant les yeux sur moi, a secoué la
10 tête d'un air insouciant, et s'est remis à parler à haute voix et à prendre des mesures.

Sa besogne[3] finie, il s'est approché de moi en me disant avec sa voix éclatante :

– Mon bon ami, dans six mois cette prison sera beaucoup
15 mieux.

Et son geste semblait ajouter :

– Vous n'en jouirez pas, c'est dommage.

Il souriait presque. J'ai cru voir le moment où il allait me railler doucement, comme on plaisante une jeune mariée le soir de
20 ses noces.

Mon gendarme, vieux soldat à chevrons[4], s'est chargé de la réponse.

Notes

1. fétide : infect.

2. pied-de-roi : règle pliante graduée.

3. Sa besogne : son travail.

4. chevrons : galons.

– Monsieur, lui a-t-il dit, on ne parle pas si haut dans la chambre d'un mort.

25 L'architecte s'en est allé.

Moi, j'étais là, comme une des pierres qu'il mesurait.

XXXII

1 Et puis, il m'est arrivé une chose ridicule.

On est venu relever mon bon vieux gendarme, auquel, ingrat égoïste que je suis, je n'ai seulement pas serré la main. Un autre l'a remplacé : homme à front déprimé, des yeux de bœuf, une
5 figure inepte.

Au reste, je n'y avais fait aucune attention. Je tournais le dos à la porte, assis devant la table ; je tâchais de rafraîchir mon front avec ma main, et mes pensées troublaient mon esprit.

Un léger coup, frappé sur mon épaule, m'a fait tourner la tête.
10 C'était le nouveau gendarme, avec qui j'étais seul.

Voici à peu près de quelle façon il m'a adressé la parole.

– Criminel, avez-vous bon cœur ?

– Non, lui ai-je dit.

La brusquerie de ma réponse a paru le déconcerter[1].
15 Cependant il a repris en hésitant :

– On n'est pas méchant pour le plaisir de l'être.

– Pourquoi non ? ai-je répliqué. Si vous n'avez que cela à me dire, laissez-moi. Où voulez-vous en venir ?

– Pardon, mon criminel, a-t-il répondu. Deux mots seulement.
20 Voici. Si vous pouviez faire le bonheur d'un pauvre homme, et que cela ne vous coûtât rien, est-ce que vous ne le feriez pas ?

J'ai haussé les épaules.

– Est-ce que vous arrivez de Charenton[2] ? Vous choisissez un singulier vase[3] pour y puiser du bonheur. Moi, faire le bonheur
25 de quelqu'un !

Notes

1. **déconcerter** : troubler.
2. **Charenton** : asile célèbre près de Paris.
3. **vase** : allusion au récipient des billets de loterie.

Il a baissé la voix et pris un air mystérieux, ce qui n'allait pas à sa figure idiote.

– Oui, criminel, oui bonheur, oui fortune. Tout cela me sera venu de vous. Voici. Je suis un pauvre gendarme. Le service est

30 lourd, la paye est légère ; mon cheval est à moi et me ruine. Or, je mets[1] à la loterie pour contre-balancer[2]. Il faut bien avoir une industrie[3]. Jusqu'ici il ne m'a manqué pour gagner que d'avoir de bons numéros. J'en cherche partout de sûrs ; je tombe toujours à côté. Je mets le 76 ; il sort le 77. J'ai beau les nourrir[4],

35 ils ne viennent pas... – Un peu de patience, s'il vous plaît, je suis à la fin. – Or, voici une belle occasion pour moi. Il paraît, pardon, criminel, que vous passez aujourd'hui. Il est certain que les morts qu'on fait périr[5] comme cela voient la loterie d'avance. Promettez-moi de venir demain soir, qu'est-ce que cela vous

40 fait ? me donner trois numéros, trois bons. Hein ? – Je n'ai pas peur des revenants, soyez tranquille. – Voici mon adresse : Caserne Popincourt, escalier A, n° 26, au fond du corridor. Vous me reconnaîtrez bien, n'est-ce pas ? – Venez même ce soir, si cela vous est plus commode.

45 J'aurais dédaigné de lui répondre, à cet imbécile, si une espérance folle ne m'avait traversé l'esprit. Dans la position désespérée où je suis, on croit par moments qu'on briserait une chaîne avec un cheveu.

– Écoute, lui ai-je dit en faisant le comédien autant que le

50 peut faire celui qui va mourir, je puis en effet te rendre plus riche que le roi, te faire gagner des millions. – À une condition.

Il ouvrait des yeux stupides.

– Laquelle ? laquelle ? tout pour vous plaire, mon criminel.

– Au lieu de trois numéros, je t'en promets quatre. Change

55 d'habits avec moi.

Notes

1. **je mets** : je joue.
2. **contre-balancer** : compenser.
3. **industrie** : occupation lucrative.
4. **les nourrir** : les remettre en jeu.
5. **périr** : mourir.

– Si ce n'est que cela ! s'est-il écrié en défaisant les premières agrafes de son uniforme.

Je m'étais levé de ma chaise. J'observais tous ses mouvements, mon cœur palpitait. Je voyais déjà les portes s'ouvrir
60 devant l'uniforme de gendarme, et la place, et la rue, et le Palais de Justice derrière moi !

Mais il s'est retourné d'un air indécis.

– Ah çà ! ce n'est pas pour sortir d'ici ?

J'ai compris que tout était perdu. Cependant j'ai tenté un
65 dernier effort, bien inutile et bien insensé !

– Si fait, lui ai-je dit, mais ta fortune est faite...

Il m'a interrompu.

– Ah bien non ! tiens ! et mes numéros ! pour qu'ils soient bons, il faut que vous soyez mort.

70 Je me suis rassis, muet et plus désespéré de toute l'espérance que j'avais eue.

XXXIII

1 J'ai fermé les yeux, et j'ai mis les mains dessus, et j'ai tâché d'oublier, d'oublier le présent dans le passé. Tandis que je rêve, les souvenirs de mon enfance et de ma jeunesse me reviennent un à un, doux, calmes, riants, comme des îles de fleurs sur ce
5 gouffre de pensées noires et confuses qui tourbillonnent dans mon cerveau.

Je me revois enfant, écolier rieur et frais, jouant, courant, criant avec mes frères dans la grande allée verte de ce jardin sauvage où ont coulé mes premières années, ancien enclos de
10 religieuses que domine de sa tête de plomb le sombre dôme du Val-de-Grâce.

Et puis, quatre ans plus tard, m'y voilà encore, toujours enfant, mais déjà rêveur et passionné. Il y a une jeune fille dans le solitaire jardin.

15 La petite Espagnole, avec ses grands yeux et ses grands cheveux, sa peau brune et dorée, ses lèvres rouges et ses joues roses, l'Andalouse de quatorze ans, Pepa.

Nos mères nous ont dit d'aller courir ensemble : nous sommes venus nous promener.

20 On nous a dit de jouer, et nous causons, enfants du même âge, non du même sexe.

Pourtant, il n'y a encore qu'un an, nous courions, nous luttions ensemble. Je disputais à Pepita la plus belle pomme du pommier ; je la frappais pour un nid d'oiseau. Elle pleurait ; je
25 disais : C'est bien fait ! et nous allions tous deux nous plaindre ensemble à nos mères, qui nous donnaient tort tout haut et raison tout bas.

Maintenant elle s'appuie sur mon bras, et je suis tout fier et tout ému. Nous marchons lentement, nous parlons bas. Elle laisse
30 tomber son mouchoir ; je le lui ramasse. Nos mains tremblent en se touchant. Elle me parle des petits oiseaux, de l'étoile qu'on voit là-bas, du couchant vermeil derrière les arbres, ou bien de ses amies de pension, de sa robe et de ses rubans. Nous disons des choses innocentes, et nous rougissons tous deux. La petite
35 fille est devenue jeune fille.

Ce soir-là, – c'était un soir d'été, – nous étions sous les marronniers, au fond du jardin. Après un de ces longs silences qui remplissaient nos promenades, elle quitta tout à coup mon bras, et me dit : Courons !

40 Je la vois encore, elle était tout en noir, en deuil de sa grand'mère. Il lui passa par la tête une idée d'enfant, Pepa redevint Pepita, elle me dit : Courons !

Et elle se mit à courir devant moi avec sa taille fine comme le corset d'une abeille et ses petits pieds qui relevaient sa robe
45 jusqu'à mi-jambe. Je la poursuivis, elle fuyait ; le vent de sa course soulevait par moments sa pèlerine noire, et me laissait voir son dos brun et frais.

J'étais hors de moi. Je l'atteignis près du vieux puisard[1] en ruine ; je la pris par la ceinture, du droit de victoire, et je la

Note 1. **puisard** : puits.

⁵⁰ fis asseoir sur un banc de gazon ; elle ne résista pas. Elle était essoufflée et riait. Moi j'étais sérieux, et je regardais ses prunelles noires à travers ses cils noirs.

– Asseyez-vous là, me dit-elle. Il fait encore grand jour, lisons quelque chose. Avez-vous un livre ?

⁵⁵ J'avais sur moi le tome second des *Voyages* de Spallanzani. J'ouvris au hasard, je me rapprochai d'elle, elle appuya son épaule à mon épaule, et nous nous mîmes à lire chacun de notre côté, tout bas, la même page. Avant de tourner le feuillet, elle était toujours obligée de m'attendre. Mon esprit allait moins vite ⁶⁰ que le sien.

– Avez-vous fini ? me disait-elle, que j'avais à peine commencé.

Cependant nos têtes se touchaient, nos cheveux se mêlaient, nos haleines peu à peu se rapprochèrent, et nos bouches tout à coup.

⁶⁵ Quand nous voulûmes continuer notre lecture, le ciel était étoilé.

– Oh ! maman, maman, dit-elle en rentrant, si tu savais comme nous avons couru !

Moi, je gardais le silence.

⁷⁰ – Tu ne dis rien, me dit ma mère, tu as l'air triste. J'avais le paradis dans le cœur.

C'est une soirée que je me rappellerai toute ma vie.

Toute ma vie !

> suite, p. 132

Souvenirs
Questions sur le chapitre XXXIII (pages 127 à 129)

UNE ÉCHAPPÉE VERS L'ENFANCE

1 Quelles personnes sont présentes dans ces souvenirs ?

2 Placez, sur un axe chronologique représentant la vie du narrateur, les souvenirs évoqués dans cet extrait et dites si le texte respecte cette chronologie.

3 Dans la situation présente du condamné, quelle est la fonction de ces souvenirs ?

PEPA OU LE VERT PARADIS DES AMOURS ENFANTINES

> **Le rythme de la narration**
>
> Ce rythme peut être modulé par l'auteur ; ce qui lui permet :
> – de décrire précisément un événement important (**scène**) ;
> – d'évoquer rapidement un événement (**sommaire**) ;
> – de taire certains faits (**ellipse**) ;
> – d'arrêter le cours de l'histoire pour se livrer à un commentaire, une réflexion, ou faire une description (**pause**).

4 Relevez un passage qui indique la fin de l'enfance et le début de la vie amoureuse.

5 Quel événement est particulièrement détaillé et raconté comme une scène ?

6 Quel est le temps verbal le plus utilisé dans cette scène ? Pourquoi ?

7 Pourquoi la mémoire du condamné s'arrête-t-elle en particulier sur ce souvenir ?

8 Expliquez le sens de la dernière phrase exclamative : « *Toute ma vie !* »

Victor Hugo s'exprime...

9 Rédigez, en 15 lignes, la réponse que Victor Hugo aurait pu faire à la question suivante : « Dans quel but avez-vous inséré, dans votre plaidoyer, le récit des souvenirs du condamné ? »

Debout : Victor Hugo et ses fils, Charles et François-Victor.
Assis : Mme Hugo, sa sœur Julie et Auguste Vacquerie.
Au premier plan dans l'herbe : Adèle Hugo.
Photographie prise à Hauteville-House.

XXXIV

1   Une heure vient de sonner. Je ne sais laquelle : j'entends mal le marteau de l'horloge. Il me semble que j'ai un bruit d'orgue dans les oreilles ; ce sont mes dernières pensées qui bourdonnent.

À ce moment suprême où je me recueille dans mes souve-
5   nirs, j'y retrouve mon crime avec horreur ; mais je voudrais me repentir davantage encore. J'avais plus de remords avant ma condamnation ; depuis, il semble qu'il n'y ait plus de place que pour les pensées de mort. Pourtant, je voudrais bien me repentir beaucoup.

10   Quand j'ai rêvé une minute à ce qu'il y a de passé dans ma vie, et que j'en reviens au coup de hache qui doit la terminer tout à l'heure, je frissonne comme d'une chose nouvelle. Ma belle enfance ! ma belle jeunesse ! étoffe dorée dont l'extrémité est sanglante. Entre alors et à présent, il y a une rivière de sang, le
15   sang de l'autre et le mien.

Si on lit un jour mon histoire, après tant d'années d'innocence et de bonheur, on ne voudra pas croire à cette année exécrable[1], qui s'ouvre par un crime et se clôt par un supplice ; elle aura l'air dépareillée[2].

20   Et pourtant, misérables lois et misérables hommes, je n'étais pas un méchant !

Oh ! mourir dans quelques heures, et penser qu'il y a un an, à pareil jour, j'étais libre et pur, que je faisais mes promenades d'automne, que j'errais sous les arbres, et que je marchais dans
25   les feuilles !

XXXV

1   En ce moment même, il y a tout auprès de moi, dans ces mai-sons qui font cercle autour du Palais et de la Grève, et partout dans Paris, des hommes qui vont et viennent, causent et rient, lisent le journal, pensent à leurs affaires ; des marchands qui

---

Notes

1. exécrable : horrible.   **2. dépareillée :** différente.

5 vendent ; des jeunes filles qui préparent leurs robes de bal pour
ce soir ; des mères qui jouent avec leurs enfants !

XXXVI

1   Je me souviens qu'un jour, étant enfant, j'allai voir le bourdon[1] de Notre-Dame.

J'étais déjà étourdi d'avoir monté le sombre escalier en coli-
maçon, d'avoir parcouru la frêle galerie qui lie les deux tours,
5 d'avoir eu Paris sous les pieds, quand j'entrai dans la cage de
pierre et de charpente où pend le bourdon avec son battant, qui
pèse un millier.

J'avançai en tremblant sur les planches mal jointes, regardant
à distance cette cloche si fameuse parmi les enfants et le peuple
10 de Paris, et ne remarquant pas sans effroi que les auvents couverts d'ardoises qui entourent le clocher de leurs plans inclinés
étaient au niveau de mes pieds. Dans les intervalles, je voyais, en
quelque sorte à vol d'oiseau, la place du Parvis-Notre-Dame, et
les passants comme des fourmis.

15   Tout à coup l'énorme cloche tinta, une vibration profonde
remua l'air, fit osciller la lourde tour. Le plancher sautait sur les
poutres. Le bruit faillit me renverser ; je chancelai, prêt à tomber, prêt à glisser sur les auvents d'ardoises en pente. De terreur,
je me couchai sur les planches, les serrant étroitement de mes
20 deux bras, sans parole, sans haleine, avec ce formidable tintement dans les oreilles, et sous les yeux ce précipice, cette place
profonde où se croisaient tant de passants paisibles et enviés.

Eh bien ! il me semble que je suis encore dans la tour du
bourdon. C'est tout ensemble un étourdissement et un éblouisse-
25 ment. Il y a comme un bruit de cloche qui ébranle les cavités[2] de
mon cerveau ; et autour de moi je n'aperçois plus cette vie plane
et tranquille que j'ai quittée, et où les autres hommes cheminent
encore, que de loin et à travers les crevasses d'un abîme.

Notes

1. **le bourdon :** la plus grosse cloche.   2. **cavités :** vides.

XXXVII

1 L'hôtel de ville est un édifice sinistre.

Avec son toit aigu et roide, son clocheton bizarre, son grand cadran blanc, ses étages à petites colonnes, ses mille croisées, ses escaliers usés par les pas, ses deux arches à droite et à gauche,
5 il est là, de plain-pied avec la Grève ; sombre, lugubre, la face toute rongée de vieillesse, et si noir, qu'il est noir au soleil.

Les jours d'exécution, il vomit des gendarmes de toutes ses portes, et regarde le condamné avec toutes ses fenêtres.

Et le soir, son cadran, qui a marqué l'heure, reste lumineux
10 sur sa façade ténébreuse[1].

XXXVIII

1 Il est une heure et quart.

Voici ce que j'éprouve maintenant :

Une violente douleur de tête. Les reins froids, le front brûlant. Chaque fois que je me lève ou que je me penche, il me semble
5 qu'il y a un liquide qui flotte dans mon cerveau, et qui fait battre ma cervelle contre les parois du crâne.

J'ai des tressaillements convulsifs, et de temps en temps la plume tombe de mes mains comme par une secousse galvanique[2].

Les yeux me cuisent comme si j'étais dans la fumée.
10 J'ai mal dans les coudes.

Encore deux heures et quarante-cinq minutes, et je serai guéri.

XXXIX

1 Ils disent que ce n'est rien, qu'on ne souffre pas, que c'est une fin douce, que la mort de cette façon est bien simplifiée.

Eh ! qu'est-ce donc que cette agonie de six semaines et ce râle de tout un jour ? Qu'est-ce que les angoisses de cette jour-
5 née irréparable, qui s'écoule si lentement et si vite ? Qu'est-ce que cette échelle de tortures qui aboutit à l'échafaud ?

Notes

1. **ténébreuse** : sombre.   2. **galvanique** : nerveuse.

Apparemment ce n'est pas là souffrir.

Ne sont-ce pas les mêmes convulsions, que le sang s'épuise goutte à goutte, ou que l'intelligence s'éteigne pensée à pensée ?

10   Et puis, on ne souffre pas, en sont-ils sûrs ? Qui le leur a dit ? Conte-t-on que jamais une tête coupée se soit dressée sanglante au bord du panier, et qu'elle ait crié au peuple : Cela ne fait pas de mal !

Y a-t-il des morts de leur façon qui soient venus les remercier
15   et leur dire : C'est bien inventé. Tenez-vous-en là. La mécanique est bonne.

Est-ce Robespierre ? Est-ce Louis XVI[1] ?...

Non, rien ! moins qu'une minute, moins qu'une seconde, et la chose est faite. – Se sont-ils jamais mis, seulement en pensée, à
20   la place de celui qui est là, au moment où le lourd tranchant qui tombe mord la chair, rompt les nerfs, brise les vertèbres... Mais quoi ! une demi-seconde ! la douleur est escamotée[2]... Horreur !

XL

1   Il est singulier[3] que je pense sans cesse au roi[4]. J'ai beau faire, beau secouer la tête, j'ai une voix dans l'oreille qui me dit toujours :

– Il y a dans cette même ville, à cette même heure, et pas bien
5   loin d'ici, dans un autre palais, un homme qui a aussi des gardes à toutes ses portes, un homme unique comme toi dans le peuple, avec cette différence qu'il est aussi haut que tu es bas. Sa vie entière, minute par minute, n'est que gloire, grandeur, délices, enivrement. Tout est autour de lui amour, respect, vénération.
10   Les voix les plus hautes deviennent basses en lui parlant et les fronts les plus fiers ploient[5]. Il n'a que de la soie et de l'or sous les yeux. À cette heure, il tient quelque conseil de ministres où tous sont de son avis ; ou bien songe à la chasse de demain,

---

Notes

1. *Cf.* p. 169.
2. **escamotée** : cachée, éludée.
3. **singulier** : étrange.
4. Ici, le roi Charles X.
5. **ploient** : s'inclinent.

au bal de ce soir, sûr que la fête viendra à l'heure, et laissant à
15 d'autres le travail de ses plaisirs. Eh bien ! cet homme est de chair
et d'os comme toi ! – Et pour qu'à l'instant même l'horrible échafaud s'écroulât, pour que tout te fût rendu, vie, liberté, fortune,
famille, il suffirait qu'il écrivît avec cette plume les sept lettres de
son nom[1] au bas d'un morceau de papier, ou même que son car-
20 rosse rencontrât ta charrette ! – Et il est bon, et il ne demanderait
pas mieux peut-être, et il n'en sera rien !

XLI

1 Eh bien donc ! ayons courage avec la mort, prenons cette horrible idée à deux mains, et considérons-la en face. Demandons-lui
compte de ce qu'elle est, sachons ce qu'elle nous veut, retour-
nons-la en tous sens, épelons l'énigme, et regardons d'avance
5 dans le tombeau.

Il me semble que, dès que mes yeux seront fermés, je verrai
une grande clarté et des abîmes de lumière où mon esprit roulera
sans fin. Il me semble que le ciel sera lumineux de sa propre
essence, que les astres y feront des taches obscures, et qu'au
10 lieu d'être comme pour les yeux vivants des paillettes d'or sur
du velours noir, ils sembleront des points noirs sur du drap d'or.

Ou bien, misérable que je suis, ce sera peut-être un gouffre
hideux, profond, dont les parois seront tapissées de ténèbres, et
où je tomberai sans cesse en voyant des formes remuer dans
15 l'ombre.

Ou bien, en m'éveillant après le coup, je me trouverai peut-être
sur quelque surface plane et humide, rampant dans l'obscurité et
tournant sur moi-même comme une tête qui roule. Il me semble
qu'il y aura un grand vent qui me poussera, et que je serai heurté
20 çà et là par d'autres têtes roulantes. Il y aura par places des mares
et des ruisseaux d'un liquide inconnu et tiède ; tout sera noir.
Quand mes yeux, dans leur rotation, seront tournés en haut, ils ne

Note

1. **les sept lettres de son nom** : *Charles* (le roi est Charles X).

verront qu'un ciel d'ombre, dont les couches épaisses pèseront sur eux, et au loin dans le fond de grandes arches de fumée plus noires que les ténèbres. Ils verront aussi voltiger dans la nuit de petites étincelles rouges, qui, en s'approchant, deviendront des oiseaux de feu. Et ce sera ainsi toute l'éternité.

Il se peut bien aussi qu'à certaines dates les morts de la Grève se rassemblent par de noires nuits d'hiver sur la place qui est à eux. Ce sera une foule pâle et sanglante, et je n'y manquerai pas. Il n'y aura pas de lune, et l'on parlera à voix basse. L'hôtel de ville sera là, avec sa façade vermoulue[1], son toit déchiqueté, et son cadran qui aura été sans pitié pour tous. Il y aura sur la place une guillotine de l'enfer, où un démon exécutera un bourreau ; ce sera à quatre heures du matin. À notre tour nous ferons foule autour.

Il est probable que cela est ainsi. Mais si ces morts-là reviennent, sous quelle forme reviennent-ils ? Que gardent-ils de leur corps incomplet et mutilé ? Que choisissent-ils ? Est-ce la tête ou le tronc qui est spectre ?

Hélas ! qu'est-ce que la mort fait avec notre âme ? quelle nature lui laisse-t-elle ? qu'a-t-elle à lui prendre ou à lui donner ? où la met-elle ? lui prête-t-elle quelquefois des yeux de chair pour regarder sur la terre, et pleurer ?

Ah ! un prêtre ! un prêtre qui sache cela ! Je veux un prêtre, et un crucifix à baiser !

Mon Dieu, toujours le même !

XLII

Je l'ai prié de me laisser dormir, et je me suis jeté sur le lit.

En effet, j'avais un flot de sang dans la tête, qui m'a fait dormir. C'est mon dernier sommeil, de cette espèce.

J'ai fait un rêve.

J'ai rêvé que c'était la nuit. Il me semblait que j'étais dans mon cabinet avec deux ou trois de mes amis, je ne sais plus lesquels.

Note

1. **vermoulue** : piquée par les vers.

Ma femme était couchée dans la chambre à coucher, à côté, et dormait avec son enfant.

Nous parlions à voix basse, mes amis et moi, et ce que nous disions nous effrayait.

Tout à coup il me sembla entendre un bruit quelque part dans les autres pièces de l'appartement. Un bruit faible, étrange, indéterminé.

Mes amis avaient entendu comme moi. Nous écoutâmes : c'était comme une serrure qu'on ouvre sourdement, comme un verrou qu'on scie à petit bruit.

Il y avait quelque chose qui nous glaçait : nous avions peur. Nous pensâmes que peut-être c'étaient des voleurs qui s'étaient introduits chez moi, à cette heure si avancée de la nuit.

Nous résolûmes[1] d'aller voir. Je me levai, je pris la bougie. Mes amis me suivaient, un à un.

Nous traversâmes la chambre à coucher, à côté. Ma femme dormait avec son enfant.

Puis nous arrivâmes dans le salon. Rien. Les portraits étaient immobiles dans leurs cadres d'or sur la tenture[2] rouge. Il me sembla que la porte du salon à la salle à manger n'était point à sa place ordinaire.

Nous entrâmes dans la salle à manger ; nous en fîmes le tour. Je marchais le premier. La porte sur l'escalier était bien fermée, les fenêtres aussi. Arrivé près du poêle, je vis que l'armoire au linge était ouverte, et que la porte de cette armoire était tirée sur l'angle du mur comme pour le cacher.

Cela me surprit. Nous pensâmes qu'il y avait quelqu'un derrière la porte.

Je portai la main à cette porte pour refermer l'armoire ; elle résista. Étonné, je tirai plus fort, elle céda brusquement, et nous découvrit une petite vieille, les mains pendantes, les yeux fermés, immobile, debout, et comme collée dans l'angle du mur.

Notes

1. **Nous résolûmes** : nous décidâmes.   2. **tenture** : tapisserie.

Cela avait quelque chose de hideux, et mes cheveux se
40 dressent d'y penser.

Je demandai à la vieille :

– Que faites-vous là ?

Elle ne répondit pas.

Je lui demandai :

45 – Qui êtes-vous ?

Elle ne répondit pas, ne bougea pas, et resta les yeux fermés.

Mes amis dirent :

– C'est sans doute la complice de ceux qui sont entrés avec
de mauvaises pensées ; ils se sont échappés en nous entendant
50 venir ; elle n'aura pu fuir et s'est cachée là.

Je l'ai interrogée de nouveau, elle est demeurée sans voix,
sans mouvement, sans regard.

Un de nous l'a poussée à terre, elle est tombée.

Elle est tombée tout d'une pièce, comme un morceau de bois,
55 comme une chose morte.

Nous l'avons remuée du pied, puis deux de nous l'ont relevée
et de nouveau appuyée au mur. Elle n'a donné aucun signe de
vie. On lui a crié dans l'oreille, elle est restée muette comme si
elle était sourde.

60 Cependant, nous perdions patience, et il y avait de la colère
dans notre terreur. Un de nous m'a dit :

– Mettez-lui la bougie sous le menton.

Je lui ai mis la mèche enflammée sous le menton. Alors elle
a ouvert un œil à demi, un œil vide, terne, affreux, et qui ne
65 regardait pas.

J'ai ôté la flamme et j'ai dit :

– Ah enfin ! répondras-tu, vieille sorcière ? Qui es-tu ?

L'œil s'est refermé comme de lui-même.

– Pour le coup, c'est trop fort, ont dit les autres. Encore la
70 bougie ! encore ! il faudra bien qu'elle parle.

J'ai replacé la lumière sous le menton de la vieille.

Alors, elle a ouvert ses deux yeux lentement, nous a regardés tous les uns après les autres, puis, se baissant brusquement,

a soufflé la bougie avec un souffle glacé. Au même moment j'ai
75 senti trois dents aiguës s'imprimer sur ma main, dans les ténèbres.

Je me suis réveillé, frissonnant et baigné d'une sueur froide.

Le bon aumônier était assis au pied de mon lit, et lisait des prières.

– Ai-je dormi longtemps ? lui ai-je demandé.

80 – Mon fils, m'a-t-il dit, vous avez dormi une heure. On vous a amené votre enfant. Elle est là dans la pièce voisine, qui vous attend. Je n'ai pas voulu qu'on vous éveillât.

– Oh ! ai-je crié, ma fille, qu'on m'amène ma fille !

XLIII

1 Elle est fraîche, elle est rose, elle a de grands yeux, elle est belle !

On lui a mis une petite robe qui lui va bien.

Je l'ai prise, je l'ai enlevée dans mes bras, je l'ai assise sur mes
5 genoux, je l'ai baisée sur ses cheveux.

Pourquoi pas avec sa mère ? – Sa mère est malade, sa grand'mère aussi. C'est bien.

Elle me regardait d'un air étonné ; caressée, embrassée, dévorée de baisers et se laissant faire ; mais jetant de temps en temps
10 un coup d'œil inquiet sur sa bonne, qui pleurait dans le coin.

Enfin j'ai pu parler.

– Marie ! ai-je dit, ma petite Marie !

Je la serrais violemment contre ma poitrine enflée de sanglots. Elle a poussé un petit cri.

15 – Oh ! vous me faites du mal, monsieur, m'a-t-elle dit.

Monsieur ! il y a bientôt un an qu'elle ne m'a vu, la pauvre enfant. Elle m'a oublié, visage, parole, accent ; et puis, qui me reconnaîtrait avec cette barbe, ces habits et cette pâleur ? Quoi ! déjà effacé de cette mémoire, la seule où j'eusse voulu vivre !
20 Quoi ! déjà plus père ! être condamné à ne plus entendre ce mot, ce mot de la langue des enfants, si doux qu'il ne peut rester dans celle des hommes : *papa* !

Et pourtant l'entendre de cette bouche, encore une fois, une seule fois, voilà tout ce que j'eusse demandé pour les qua-
25 rante ans de vie qu'on me prend.

– Écoute, Marie, lui ai-je dit en joignant ses deux petites mains dans les miennes, est-ce que tu ne me connais point ?

Elle m'a regardé avec ses beaux yeux, et a répondu :

– Ah bien non !

30 – Regarde bien, ai-je répété. Comment, tu ne sais pas qui je suis ?

– Si, a-t-elle dit. Un monsieur.

Hélas ! n'aimer ardemment qu'un seul être au monde, l'aimer avec tout son amour, et l'avoir devant soi, qui vous voit et vous
35 regarde, vous parle et vous répond, et ne vous connaît pas ! Ne vouloir de consolation que de lui, et qu'il soit le seul qui ne sache pas qu'il vous en faut parce que vous allez mourir !

– Marie, ai-je repris, as-tu un papa ?

– Oui, monsieur, a dit l'enfant.

40 – Eh bien, où est-il ?

Elle a levé ses grands yeux étonnés.

– Ah ! vous ne savez donc pas ? il est mort.

Puis elle a crié ; j'avais failli la laisser tomber.

– Mort ! disais-je. Marie, sais-tu ce que c'est qu'être mort ?

45 – Oui, monsieur, a-t-elle répondu. Il est dans la terre et dans le ciel.

Elle a continué d'elle-même :

– Je prie le bon Dieu pour lui matin et soir sur les genoux de maman.

50 Je l'ai baisée au front.

– Marie, dis-moi ta prière.

– Je ne peux pas, monsieur. Une prière, cela ne se dit pas dans le jour. Venez ce soir dans ma maison ; je la dirai.

C'était assez de cela. Je l'ai interrompue.

55 – Marie, c'est moi qui suis ton papa.

– Ah ! m'a-t-elle dit.

J'ai ajouté : – Veux-tu que je sois ton papa ?

L'enfant s'est détournée.

– Non, mon papa était bien plus beau.

60 Je l'ai couverte de baisers et de larmes. Elle a cherché à se dégager de mes bras en criant :

– Vous me faites mal avec votre barbe.

Alors, je l'ai replacée sur mes genoux, en la couvant des yeux, et puis je l'ai questionnée.

65 – Marie, sais-tu lire ?

– Oui, a-t-elle répondu. Je sais bien lire. Maman me fait lire mes lettres.

– Voyons, lis un peu, lui ai-je dit en lui montrant un papier qu'elle tenait chiffonné dans une de ses petites mains.

70 Elle a hoché sa jolie tête.

– Ah bien ! je ne sais lire que des fables.

– Essaie toujours. Voyons, lis.

Elle a déployé le papier, et s'est mise à épeler avec son doigt :

– A, R, ar, R, E, T, rêt, arrêt...

75 Je lui ai arraché cela des mains. C'est ma sentence de mort qu'elle me lisait. Sa bonne avait eu le papier pour un sou. Il me coûtait plus cher, à moi.

Il n'y a pas de paroles pour ce que j'éprouvais. Ma violence l'avait effrayée ; elle pleurait presque. Tout à coup elle m'a dit :

80 – Rendez-moi donc mon papier, tiens ! c'est pour jouer.

Je l'ai remise à sa bonne.

– Emportez-la.

Et je suis retombé sur ma chaise, sombre, désert[1], désespéré. À présent ils devraient venir ; je ne tiens plus à rien ; la dernière

85 fibre de mon cœur est brisée. Je suis bon pour ce qu'ils vont faire.

> suite, p. 145

1. **désert :** ici, abandonné.

Marie

Questions sur le chapitre XLIII (pages 140 à 142)

« MARIE, SI TU SAVAIS... »

1 Dans quel chapitre Victor Hugo a-t-il déjà évoqué Marie, la fille du condamné ?

2 Dans ce même chapitre, quel qualificatif le narrateur emploie-t-il à plusieurs reprises au sujet de sa fille ? Donnez trois raisons qui justifient l'emploi de cet adjectif.

LA RENCONTRE

3 Comment le condamné nous décrit-il tout d'abord son enfant ?

4 Quel sens pouvez-vous donner au prénom Marie ?

5 En quoi cette description et le prénom de l'enfant servent-ils le projet abolitionniste de l'auteur ?

6 Relevez tous les rejets que l'enfant fait subir à son père.

Monologue intérieur

Procédé littéraire défini par l'écrivain français Édouard Dujardin en 1887 et qui consiste à rapporter les pensées d'un personnage au fur et à mesure qu'elles lui viennent, comme si nous étions à l'intérieur de sa conscience. On reconnaît ce procédé à l'emploi de la 1re personne ou du style indirect libre, de phrases nominales et d'énumérations dont l'enchaînement logique n'est pas expliqué.

7 Complétez ce tableau en vous reportant aux chapitres XXVI et XLIII.

	Monologue intérieur (chap. XXVI)	Dialogue (chap. XLIII)
Marie	Absente, fantasmée.	
Questions	Rhétoriques (fausses questions).	
Réponse		
Narrateur vu par Marie		
Bilan		Le narrateur est mort pour sa fille, physiquement et socialement. Toute filiation est anéantie.

MON HISTOIRE

8 Faites la liste de toutes les informations sur le condamné (situations sociale, familiale…) que vous avez désormais à votre disposition.

9 Quelle information toutefois reste cachée ? Pourquoi, à votre avis ?

AU THÉÂTRE AUJOURD'HUI

10 Reprenez le récit du chapitre XLIII et transformez-le en texte de pièce de théâtre. Vous n'oublierez pas les indications scéniques (didascalies).

XLIV

1   Le prêtre est bon, le gendarme aussi. Je crois qu'ils ont versé une larme quand j'ai dit qu'on m'emportât mon enfant.

C'est fait. Maintenant il faut que je me roidisse[1] en moi-même, et que je pense fermement au bourreau, à la charrette,
5 aux gendarmes, à la foule sur le pont, à la foule sur le quai, à la foule aux fenêtres, et à ce qu'il y aura exprès pour moi sur cette lugubre place de Grève, qui pourrait être pavée des têtes qu'elle a vu tomber.

Je crois que j'ai encore une heure pour m'habituer à tout cela.

XLV

1   Tout ce peuple rira, battra des mains, applaudira. Et parmi tous ces hommes, libres et inconnus des geôliers, qui courent pleins de joie à une exécution, dans cette foule de têtes qui couvrira la place, il y aura plus d'une tête prédestinée qui suivra la
5 mienne tôt ou tard dans le panier rouge. Plus d'un qui y vient pour moi y viendra pour soi.

Pour ces êtres fatals[2] il y a sur un certain point de la place de Grève un lieu fatal, un centre d'attraction, un piège. Ils tournent autour jusqu'à ce qu'ils y soient.

XLVI

1   Ma petite Marie ! – On l'a remmenée jouer ; elle regarde la foule par la portière du fiacre, et ne pense déjà plus à ce *monsieur*.

Peut-être aurais-je encore le temps d'écrire quelques pages
5 pour elle, afin qu'elle les lise un jour, et qu'elle pleure dans quinze ans pour aujourd'hui.

Oui, il faut qu'elle sache par moi mon histoire, et pourquoi le nom que je lui laisse est sanglant.

Notes

1. roidisse : raidisse.   **2. fatals :** voués à la mort.

XLVII

1   MON HISTOIRE

Note de l'éditeur. – On n'a pu encore retrouver les feuillets qui se rattachaient à celui-ci. Peut-être, comme ceux qui suivent semblent l'indiquer, le condamné n'a-t-il pas eu le temps de les écrire. Il était tard quand cette pensée lui est venue.

XLVIII

1   D'une chambre de l'Hôtel de ville.

De l'Hôtel de ville !... – Ainsi j'y suis. Le trajet exécrable est fait. La place est là, et au-dessous de la fenêtre l'horrible peuple qui aboie, et m'attend, et rit.

J'ai eu beau me roidir, beau me crisper, le cœur m'a failli[1]. Quand j'ai vu au-dessus des têtes ces deux bras rouges, avec leur triangle noir au bout, dressés entre les deux lanternes du quai, le cœur m'a failli. J'ai demandé à faire une dernière déclaration. On m'a déposé ici, et l'on est allé chercher quelque procureur du roi. Je l'attends, c'est toujours cela de gagné.

Voici :

Trois heures sonnaient, on est venu m'avertir qu'il était temps. J'ai tremblé, comme si j'eusse pensé à autre chose depuis six heures, depuis six semaines, depuis six mois. Cela m'a fait l'effet de quelque chose d'inattendu.

Ils m'ont fait traverser leurs corridors et descendre leurs escaliers. Ils m'ont poussé entre deux guichets du rez-de-chaussée, salle sombre, étroite, voûtée, à peine éclairée d'un jour de pluie et de brouillard. Une chaise était au milieu. Ils m'ont dit de m'asseoir ; je me suis assis.

Il y avait près de la porte et le long des murs quelques personnes debout, outre le prêtre et les gendarmes, et il y avait aussi trois hommes.

Note

1. le cœur m'a failli : le courage m'a manqué.

Le premier, le plus grand, le plus vieux, était gras et avait la
25 face rouge. Il portait une redingote et un chapeau à trois cornes
déformé. C'était lui.

C'était le bourreau, le valet de la guillotine. Les deux autres
étaient ses valets, à lui.

À peine assis, les deux autres se sont approchés de moi, par
30 derrière, comme des chats ; puis tout à coup j'ai senti un froid
d'acier dans mes cheveux, et les ciseaux ont grincé à mes oreilles.

Mes cheveux, coupés au hasard, tombaient par mèches sur
mes épaules, et l'homme au chapeau à trois cornes[1] les épousse-
tait doucement avec sa grosse main.

35 Autour, on parlait à voix basse.

Il y avait un grand bruit au-dehors, comme un frémissement
qui ondulait dans l'air. J'ai cru d'abord que c'était la rivière ;
mais, à des rires qui éclataient, j'ai reconnu que c'était la foule.

Un jeune homme, près de la fenêtre, qui écrivait, avec un
40 crayon, sur un portefeuille, a demandé à un des guichetiers comment s'appelait ce qu'on faisait là.

– La toilette du condamné, a répondu l'autre.

J'ai compris que cela serait demain dans le journal.

Tout à coup l'un des valets m'a enlevé ma veste, et l'autre
45 a pris mes deux mains qui pendaient, les a ramenées derrière
mon dos, et j'ai senti les nœuds d'une corde se rouler lentement
autour de mes poignets rapprochés. En même temps, l'autre
détachait ma cravate. Ma chemise de batiste[2], seul lambeau qui
me restât du moi d'autrefois, l'a fait en quelque sorte hésiter un
50 moment ; puis il s'est mis à en couper le col.

À cette précaution horrible, au saisissement de l'acier qui
touchait mon cou, mes coudes ont tressailli, et j'ai laissé échapper un rugissement étouffé. La main de l'exécuteur a tremblé.

– Monsieur, m'a-t-il dit, pardon ! Est-ce que je vous ai fait
55 mal ?

Notes

1. **chapeau à trois cornes** : chapeau   2. **batiste** : lin de qualité supérieure.
officiel du bourreau.

La toilette du condamné, gravure sur bois
d'après un dessin de Louis-Alexandre Eustache-Lorsay (1846).

executioner

Ces bourreaux sont des hommes très doux.

La foule hurlait plus haut au-dehors.

Le gros homme au visage bourgeonné m'a offert à respirer un mouchoir imbibé de vinaigre.

60 – Merci, lui ai-je dit de la voix la plus forte que j'ai pu, c'est inutile ; je me trouve bien.

Alors l'un d'eux s'est baissé et m'a lié les deux pieds, au moyen d'une corde fine et lâche, qui ne me laissait à faire que de petits pas. Cette corde est venue se rattacher à celle de mes 65 mains.

Puis le gros homme a jeté la veste sur mon dos, et a noué les manches ensemble sous mon menton. Ce qu'il y avait à faire là était fait.

Alors le prêtre s'est approché avec son crucifix.

70 – Allons, mon fils, m'a-t-il dit.

Les valets m'ont pris sous les aisselles. Je me suis levé, j'ai marché. Mes pas étaient mous et fléchissaient comme si j'avais eu deux genoux à chaque jambe.

En ce moment la porte extérieure s'est ouverte à deux bat-75 tants. Une clameur furieuse et l'air froid et la lumière blanche ont fait irruption jusqu'à moi dans l'ombre. Du fond du sombre guichet, j'ai vu brusquement tout à la fois, à travers la pluie, les mille têtes hurlantes du peuple entassées pêle-mêle sur la rampe du grand escalier du Palais ; à droite, de plain-pied avec le seuil, 80 un rang de chevaux de gendarmes, dont la porte basse ne me découvrait que les pieds de devant et les poitrails ; en face, un détachement de soldats en bataille[1] ; à gauche, l'arrière d'une charrette, auquel s'appuyait une roide échelle. Tableau hideux, bien encadré dans une porte de prison.

85 C'est pour ce moment redouté que j'avais gardé mon courage. J'ai fait trois pas, et j'ai paru sur le seuil du guichet.

Note 1. **en bataille :** mis en rangs.

– Le voilà ! le voilà ! a crié la foule. Il sort ! enfin ! Et les plus près de moi battaient des mains. Si fort qu'on aime un roi, ce serait moins de fête.

90 C'était une charrette ordinaire, avec un cheval étique[1], et un charretier en sarrau bleu à dessins rouges, comme ceux des maraîchers des environs de Bicêtre.

Le gros homme en chapeau à trois cornes est monté le premier.

– Bonjour, monsieur Samson ! criaient des enfants pendus à 95 des grilles.

Un valet l'a suivi.

– Bravo, Mardi[2] ! ont crié de nouveau les enfants.

Ils se sont assis tous deux sur la banquette de devant.

C'était mon tour. J'ai monté d'une allure assez ferme.

100 – Il va bien ! a dit une femme à côté des gendarmes.

Cet atroce éloge m'a donné du courage. Le prêtre est venu se placer auprès de moi. On m'avait assis sur la banquette de derrière, le dos tourné au cheval. J'ai frémi de cette dernière attention.

105 Ils mettent de l'humanité là-dedans.

J'ai voulu regarder autour de moi. Gendarmes devant, gendarmes derrière ; puis de la foule, de la foule, et de la foule ; une mer de têtes sur la place.

Un piquet de gendarmerie à cheval m'attendait à la porte de 110 la grille du Palais.

L'officier a donné l'ordre. La charrette et son cortège se sont mis en mouvement, comme poussés en avant par un hurlement de la populace.

On a franchi la grille. Au moment où la charrette a tourné vers 115 le Pont-au-Change, la place a éclaté en bruit, du pavé aux toits, et les ponts et les quais ont répondu à faire un tremblement de terre.

C'est là que le piquet qui attendait s'est rallié à l'escorte.

1. **étique** : d'une extrême maigreur.   2. **Mardi** : surnom de l'adjoint du bourreau.

– Chapeaux bas ! chapeaux bas ! criaient mille bouches
ensemble. – Comme pour le roi.

Alors j'ai ri horriblement aussi, moi, et j'ai dit au prêtre :

– Eux les chapeaux, moi la tête.

On allait au pas.

Le quai aux Fleurs embaumait ; c'est jour de marché. Les marchandes ont quitté leurs bouquets pour moi.

Vis-à-vis, un peu avant la tour carrée qui fait le coin du Palais, il y a des cabarets, dont les entresols étaient pleins de spectateurs heureux de leurs belles places. Surtout des femmes. La journée doit être bonne pour les cabaretiers.

On louait des tables, des chaises, des échafaudages, des charrettes. Tout pliait de spectateurs. Des marchands de sang humain criaient à tue-tête :

– Qui veut des places ?

Une rage m'a pris contre ce peuple. J'ai eu envie de leur crier :

– Qui veut la mienne ?

Cependant la charrette avançait. À chaque pas qu'elle faisait, la foule se démolissait derrière elle, et je la voyais de mes yeux égarés qui s'allait reformer plus loin sur d'autres points de mon passage.

En entrant sur le Pont-au-Change, j'ai par hasard jeté les yeux à ma droite en arrière. Mon regard s'est arrêté sur l'autre quai, au-dessus des maisons, à une tour noire, isolée, hérissée de sculptures, au sommet de laquelle je voyais deux monstres de pierre assis de profil. Je ne sais pourquoi j'ai demandé au prêtre ce que c'était que cette tour.

– Saint-Jacques-la-Boucherie, a répondu le bourreau.

J'ignore comment cela se faisait ; dans la brume, et malgré la pluie fine et blanche qui rayait l'air comme un réseau de fils d'araignée, rien de ce qui se passait autour de moi ne m'a échappé. Chacun de ces détails m'apportait sa torture. Les mots manquent aux émotions.

Vers le milieu de ce Pont-au-Change, si large et si encombré que nous cheminions à grand'peine, l'horreur m'a pris violemment.

J'ai craint de défaillir[1], dernière vanité ! Alors je me suis étourdi
155 moi-même pour être aveugle et pour être sourd à tout, excepté
au prêtre, dont j'entendais à peine les paroles, entrecoupées
de rumeurs.

J'ai pris le crucifix et je l'ai baisé.

– Ayez pitié de moi, ai-je dit, ô mon Dieu ! – Et j'ai tâché de
160 m'abîmer[2] dans cette pensée.

Mais chaque cahot de la dure charrette me secouait. Puis tout
à coup je me suis senti un grand froid. La pluie avait traversé mes
vêtements, et mouillait la peau de ma tête à travers mes cheveux
coupés et courts.

165 – Vous tremblez de froid, mon fils ? m'a demandé le prêtre.

– Oui, ai-je répondu.

Hélas ! pas seulement de froid.

Au détour du pont, des femmes m'ont plaint d'être si jeune.

Nous avons pris le fatal quai. Je commençais à ne plus voir,
170 à ne plus entendre. Toutes ces voix, toutes ces têtes aux fenêtres,
aux portes, aux grilles des boutiques, aux branches des lanternes ; ces spectateurs avides et cruels ; cette foule où tous me
connaissent et où je ne connais personne ; cette route pavée et
murée de visages humains... J'étais ivre, stupide, insensé. C'est
175 une chose insupportable que le poids de tant de regards appuyés
sur vous.

Je vacillais donc sur le banc, ne prêtant même plus d'attention au prêtre et au crucifix.

Dans le tumulte qui m'enveloppait, je ne distinguais plus
180 les cris de pitié des cris de joie, les rires des plaintes, les voix
du bruit ; tout cela était une rumeur qui résonnait dans ma tête
comme dans un écho de cuivre.

Mes yeux lisaient machinalement les enseignes des boutiques.

Une fois, l'étrange curiosité me prit de tourner la tête et de
185 regarder vers quoi j'avançais. C'était une dernière bravade de

---

Notes

1. **défaillir** : m'évanouir.   2. **m'abîmer** : sombrer.

l'intelligence. Mais le corps ne voulut pas ; ma nuque resta paralysée et d'avance comme morte.

J'entrevis seulement de côté, à ma gauche, au-delà de la rivière, la tour de Notre-Dame, qui, vue de là, cache l'autre. C'est celle où est le drapeau. Il y avait beaucoup de monde, et qui devait bien voir.

Et la charrette allait, allait, et les boutiques passaient, et les enseignes se succédaient, écrites, peintes, dorées, et la populace riait et trépignait dans la boue, et je me laissais aller, comme à leurs rêves ceux qui sont endormis.

Tout à coup la série des boutiques qui occupait mes yeux s'est coupée à l'angle d'une place ; la voix de la foule est devenue plus vaste, plus glapissante, plus joyeuse encore ; la charrette s'est arrêtée subitement, et j'ai failli tomber la face sur les planches. Le prêtre m'a soutenu.

– Courage ! a-t-il murmuré. – Alors on a apporté une échelle à l'arrière de la charrette ; il m'a donné le bras, je suis descendu, puis j'ai fait un pas, puis je me suis retourné pour en faire un autre, et je n'ai pu. Entre les deux lanternes du quai, j'avais vu une chose sinistre.

Oh ! c'était la réalité !

Je me suis arrêté, comme chancelant déjà du coup.

– J'ai une dernière déclaration à faire ! ai-je crié faiblement.

On m'a monté ici.

J'ai demandé qu'on me laissât écrire mes dernières volontés. Ils m'ont délié les mains, mais la corde est ici, toute prête, et le reste est en bas.

XLIX

Un juge, un commissaire, un magistrat, je ne sais de quelle espèce, vient de venir. Je lui ai demandé ma grâce en joignant les deux mains et en me traînant sur les deux genoux. Il m'a répondu, en souriant fatalement, si c'est là tout ce que j'avais à lui dire.

– Ma grâce ! ma grâce ! ai-je répété, ou, par pitié, cinq minutes encore !

Qui sait ? elle viendra peut-être ! Cela est si horrible, à mon âge, de mourir ainsi ! Des grâces qui arrivent au dernier moment, on l'a vu souvent. Et à qui fera-t-on grâce, monsieur, si ce n'est à moi ?

Cet exécrable bourreau ! il s'est approché du juge pour lui dire que l'exécution devait être faite à une certaine heure, que cette heure approchait, qu'il était responsable, que d'ailleurs il pleut, et que cela risque de se rouiller.

– Eh, par pitié ! une minute pour attendre ma grâce ! ou je me défends ! je mords !

Le juge et le bourreau sont sortis. Je suis seul. – Seul avec deux gendarmes.

Oh ! l'horrible peuple avec ses cris d'hyène ! – Qui sait si je ne lui échapperai pas ? si je ne serai pas sauvé ? si ma grâce ?... Il est impossible qu'on ne me fasse pas grâce !

Ah ! les misérables ! il me semble qu'on monte l'escalier...

Quatre heures.

Le dernier acte
Questions sur les chapitres XLVIII et XLIX (pages 146 à 154)

UN ACTEUR-SPECTATEUR : LA FOULE

1 Relevez, dans les chapitres XLVIII et XLIX, quatre termes ou expressions qui caractérisent la foule. Comment se comporte-t-elle ?

2 Pourquoi peut-on dire que la foule est à la fois « un acteur et un spectateur » de la scène ? Justifiez votre réponse.

3 Quel mot, utilisé au chapitre XLIX, est aussi le titre d'un des plus grands romans de Victor Hugo ? Quelles sont les deux natures grammaticales de ce mot ? Donnez deux de ses sens.

4 Combien d'années séparent la publication du *Dernier Jour d'un condamné* et celle des *Misérables* ? Quelle évolution observez-vous, en vous appuyant sur les chapitres XLVIII et XLIX et l'encadré ci-dessous, quant à l'opinion de Victor Hugo sur le peuple ?

Les Misérables (1862)

Dans ce grand roman historique et social d'inspirations à la fois romantique et réaliste, Victor Hugo retrace l'histoire de personnages populaires (Fantine, Cosette, Jean Valjean…) marqués par leur condition sociale. Roman des misères du peuple condamnant une société qui conduit les pauvres à devenir des êtres maudits, *Les Misérables* est une œuvre profondément humaniste suscitant pitié et compassion pour ses personnages.

CHRONIQUE D'UNE MORT ANNONCÉE

5 À partir des indices de lieu donnés dans le chapitre XLVIII, retracez le parcours du prisonnier.

6 Complétez ce tableau avec des termes ou expressions figurant dans les lignes 29 à 73.

Ouïe	Vue	Odorat	Toucher

7 Relevez les deux heures citées dans les chapitres XLVIII et XLIX. Quelle information en déduisez-vous ?

8 En vous appuyant sur les chapitres XLVIII et XLIX, expliquez en quoi cette narration est vraisemblable, puis en quoi elle ne l'est pas.

UN PLAIDOYER POIGNANT

9 Dans un texte argumentatif de 20 lignes, expliquez comment, de votre point de vue, Victor Hugo est parvenu à faire de ce récit un plaidoyer poignant contre la peine de mort.

UN DÉBAT TOUJOURS AUSSI PASSIONNÉ

10 Êtes-vous pour ou contre la peine de mort ? Après avoir lu le dossier (p. 170), préparez les arguments en faveur d'une de ces deux positions, puis débattez-en avec la classe.

Dossier Bibliolycée BAC PRO

Le Dernier Jour d'un condamné

Le Dernier Jour d'un condamné en un coup d'œil

I • Structure de l'œuvre

Le récit est rédigé par le condamné le jour de son exécution, de son réveil en pleine nuit au moment où l'on vient le chercher (16 h).

Souvenirs et événements passés	Moments où le condamné écrit	Projections dans le futur
Lieu : cellule de la prison de Bicêtre (chap. I à XXI)		
• Chap. II • Chap. IV et V • Chap. IX • Chap. XIII à XVI	• Chap. I : *jour de l'exécution, la nuit.* • Chap. III • Chap. VI à VIII • Chap. X à XII • Chap. XVIII : *à l'aube (6 h).* • Chap. XIX à XXI : *6 h 15.*	• Chap. XVII
Lieu : la Conciergerie (chap. XXII à XLVII)		
• Chap. XXII : *7 h 30 - 8 h 30.* • Chap. XXVIII • Chap. XXXIII • Chap. XXXIV • Chap. XXXVI	• Chap. XXIII à XXV • Chap. XXIX à XXXII • Chap. XXXIV et XXXV • Chap. XXXVII • Chap. XXXVIII : *13 h 15.* • Chap. XXXIX et XL • Chap. XLI à XLIV	• Chap. XXVI : *10 h.* • Chap. XXVII • Chap. XXIX • Chap. XXXIV • Chap. XXXIX • Chap. XLI • Chap. XLV et XLVI
Lieu : à l'Hôtel de Ville (chap. XLVIII et XLIX)		
	• Chap. XLVIII : *15 h.* • Chap. XLIX : *16 h.*	

II • Résumé des principaux événements

Souvenirs et événements passés	Moments où le condamné écrit (quasi-simultanéité entre les événements vécus et l'écriture)	Projections dans le futur
Lieu : cellule de la prison de Bicêtre (chap. I à XXI)		
Chap. II : procès, au cours duquel la peine capitale est prononcée. **Chap. IV** : transport à Bicêtre ; description. **Chap. V** : description de la vie en prison. **Chap. IX** : présentation des bénéficiaires de son testament (famille). **Chap. XIII** : le ferrement des futurs bagnards ; perd connaissance. **Chap. XIV** : séjour à l'infirmerie ; départ des forçats pour Toulon. **Chap. XV** : retour en cellule ; rêves d'évasion. **Chap. XVI** : repense à son séjour à l'infirmerie ; près de la fenêtre, entend une jeune fille chanter en argot.	**Chap. I** : s'éveille à la pensée de son exécution. **Chap. III** : réflexion sur la peine de mort. **Chap. VI et VII** : pourquoi écrire ? Donne des explications. **Chap. VIII** : décompte du temps restant. **Chap. X** : description du cachot. **Chap. XI et XII** : lecture des inscriptions faites par les anciens condamnés sur les murs de la cellule. **Chap. XVIII** : le gardien lui demande ce qu'il veut pour déjeuner. **Chap. XIX** : le directeur lui annonce que l'exécution aura lieu aujourd'hui. **Chap. XX** : propos sur la prison. **Chap. XXI** : venue d'un prêtre.	**Chap. XVII** : rêves d'évasion.

Souvenirs et événements passés	Moments où le condamné écrit (quasi-simultanéité entre les événements vécus et l'écriture)	Projections dans le futur
Lieu : la Conciergerie (chap. XXII à XLVII)		
Chap. XXII : description du transfert de Bicêtre à la Conciergerie. Chap. XXVIII : souvenir d'une exécution place de Grève. Chap. XXXIII : souvenirs d'enfance. Chap. XXXIV : souvenirs heureux de la vie avant le crime et la condamnation. Chap. XXXVI : souvenir du bourdon de Notre-Dame.	Chap. XXIII et XXIV : rencontre avec un condamné ; récit de sa vie. Chap. XXV : installation. Chap. XXIX : demande d'un avocat. Chap. XXX à XXXII : discussion avec un prêtre, un architecte, un gendarme. Chap. XXXIV : une horloge sonne l'heure. Chap. XXXV : pensées pour les Parisiens insoucieux de sa situation. Chap. XXXVII : description de l'Hôtel de Ville. Chap. XXXVIII : souffrances psychosomatiques. Chap. XXXIX : évocation de la guillotine. Chap. XL : évocation du roi et d'une grâce impossible à obtenir. Chap. XLI : fait appel à un prêtre. Chap. XLII : cauchemar. Chap. XLIII : entrevue avec sa fille Marie. Chap. XLIV : départ de Marie.	Chap. XXVI : l'avenir de Marie. Chap. XXVII : se voit sous la guillotine. Chap. XXIX : invocation de la grâce royale. Chap. XXXIV : pensées de la mort imminente. Chap. XXXIX : représentations hyperréalistes de ses derniers moments. Chap. XLI : visions imaginaires de l'après-mort. Chap. XLV : parmi les spectateurs de la place de Grève, de futurs condamnés. Chap. XLVI : projet d'écrire un témoignage (chap. XLVII) pour Marie.

Souvenirs et événements passés	Moments où le condamné écrit (quasi-simultanéité entre les événements vécus et l'écriture)	Projections dans le futur
Lieu : à l'Hôtel de Ville (chap. XLVIII et XLIX)		
	Chap. XLVIII : toilette et transfert sur la place de Grève. Chap. XLIX : résistance désespérée, supplication et demande de grâce ; fin du récit que l'imminence de l'exécution interrompt.	

2) Un texte abolitionniste novateur

En 1829, dans la préface de son recueil de poésie *Les Orientales*, Victor Hugo revendique « *la liberté d'inspiration* ». C'est à cette date et fort de cette volonté que paraît la première édition du *Dernier Jour d'un condamné*, œuvre libre qui innove en mélangeant les genres et qui annonce la littérature du xxe siècle.

I • *Le Dernier Jour d'un condamné* aurait pu être...

❯ **Un journal intime**

> **Définition**
>
> Le journal intime est à la fois une pratique ordinaire et un genre littéraire : une pratique, qui consiste à rapporter pour soi des faits et des pensées personnelles ; un genre en vogue au xixe siècle, généralement pratiqué par des jeunes filles de bonne famille qui racontent leur vie et confient leurs sentiments et secrets.

À RETENIR

Dans le récit de Victor Hugo, en effet, le condamné définit ce qu'il écrit comme « *le journal de* [s]*es souffrances* ». Il y raconte sa vie en prison et décrit ses états d'âme. Il est à la fois le sujet, l'objet et le destinataire de ce qu'il écrit.

Mais Victor Hugo n'est pas le condamné. Même s'il s'est inspiré de sa propre vie pour nourrir son œuvre, il ne fait qu'emprunter la forme d'un journal pour écrire son roman. Il ne s'agit donc pas d'un « journal intime » à proprement parler.

❯ **Une autofiction**

> **Définition**
>
> L'autofiction désigne un récit très inspiré de la propre vie de l'auteur mais trop romancé pour être autobiographique. On doit ce terme à Serge Doubrovsky, qui a ainsi qualifié son roman *Fils* publié en 1977.

À RETENIR

Le condamné apparaît comme un *alter ego* de Victor Hugo : il est jeune, passionné, cultivé, fortuné, révolté. Et certains des souvenirs qu'il évoque sont ceux de l'auteur (le jardin avec Pepa, alias sa femme Adèle ; le graissage de la lame).

Mais le titre de l'œuvre et la mention du nom de Victor Hugo sur la couverture (ce qui n'était pas le cas sur l'édition originale, publiée sans nom d'auteur) suppriment toute ambiguïté quant aux identités distinctes du narrateur (le condamné, celui qui dit « je ») et de l'auteur (Hugo). De plus, leur vie et surtout leur destin sont bien trop différents pour faire de ce texte un ancêtre du genre littéraire moderne de l'autofiction.

▶ **Un monologue intérieur**

> **Définition**
>
> Le monologue intérieur est un procédé de narration qui consiste à rapporter le flux incessant des pensées qui traversent l'esprit du personnage, au fur et à mesure qu'elles lui viennent. Édouard Dujardin, auteur de *Les lauriers sont coupés*, en est l'initiateur en 1887 et James Joyce, avec *Ulysse* (1922), l'une de ses grandes figures.
>
> **À RETENIR**

Le texte de Victor Hugo tente, en effet, d'épouser la conscience du personnage à l'aide d'un style très oralisé. Il emprunte aussi à ce procédé l'emploi de la 1re personne, du style indirect libre, de phrases nominales (sans verbe) et d'énumérations. Plus la fin approche, plus le style se dépouille et cherche à transmettre, à vif, les émotions violentes du condamné.

Mais la pensée, parce qu'elle est animée par la volonté de dénoncer une condamnation inhumaine, suit encore un cours logique. Elle n'est pas assez confuse pour que l'on puisse considérer que *Le Dernier Jour d'un condamné* ne soit qu'un monologue intérieur.

▶ Un apologue

> **Définition**
>
> Un apologue est un court récit imaginaire et plaisant servant à illustrer une vérité morale. Les fables (d'Ésope, de La Fontaine) et les contes philosophiques (*Candide* de Voltaire) sont des apologues.

À RETENIR

Victor Hugo lui-même fait de son texte un apologue en écrivant dans sa préface de 1832 : « *L'auteur aujourd'hui peut démasquer l'idée politique, l'idée sociale qu'il avait voulu populariser sous cette innocente et candide forme littéraire.* »

Malgré tout, le texte trop « *atroce* » (comme le qualifie Hugo), trop tragique, ne cadre pas avec la dimension de plaisir qu'implique la lecture d'un apologue. De plus, le souci de vraisemblance, que l'on observe notamment dans les précisions apportées pour expliquer comment le condamné a pu écrire (on lui donne de quoi écrire aux chapitres VI et XXV ; il demande à rédiger ses dernières volontés au chapitre XLVIII), l'éloigne d'un genre qui, à l'inverse, privilégie les invraisemblances.

▶ Une tragédie

> **Définition**
>
> Une œuvre tragique met en scène un personnage qui se débat inutilement contre un destin auquel il ne peut pas échapper, le but étant de provoquer chez le lecteur/spectateur terreur ou pitié. Les œuvres tragiques sont généralement des pièces de théâtre dont les héros sont historiques ou empruntés à la mythologie (*Œdipe roi* de Sophocle, *Phèdre* de Racine).

À RETENIR

Le condamné à mort est effectivement confronté à un destin inéluctable et nous fait partager sa certitude qu'il va mourir dans les prochaines heures. Révulsé par le spectacle de son supplice, le lecteur prend en horreur la peine de mort et s'indigne de ce crime commis au nom de la société (c'est ce que le philosophe Aristote appelle « une catharsis »).

Cependant, les traits d'humour noir et les passages comiques (le gendarme et la loterie) subvertissent le genre tragique. Victor Hugo lui-même faisait remarquer que son roman était une comédie à propos d'une tragédie.

▶ **Un œuvre romantique**

> **Définition**
>
> Une œuvre romantique met en avant la libre expression de la sensibilité, le goût du mystère et de la fantaisie, le culte du moi. Le mouvement, venu d'Allemagne (avec les œuvres de Goethe) au début du XIXe siècle et théorisé en France par Victor Hugo, favorise le mélange des genres en réaction à l'esthétique classique. En France, Mme de Staël et Chateaubriand en sont les initiateurs et Lamartine *(Le Lac)*, Victor Hugo, Alfred de Musset et Théophile Gautier en sont les principales figures.

À RETENIR

Par son originalité, ses audaces stylistiques, son mélange des genres, *Le Dernier Jour d'un condamné* s'inscrit dans le projet romantique. Cette influence est visible dès le premier chapitre : « *Mon esprit, jeune et riche, était plein de fantaisies. Il s'amusait à me les dérouler les unes après les autres, sans ordre et sans fin, brodant d'inépuisables arabesques cette rude et mince étoffe de la vie. C'étaient des jeunes filles, de splendides chapes d'évêque, des batailles gagnées, des théâtres pleins de bruit et de lumières, et puis encore des jeunes filles et de sombres promenades la nuit sous les larges bras des marronniers. C'était toujours fête dans mon imagination. Je pouvais penser à ce que je voulais, j'étais libre.* »

On retrouve, dans ce passage, les thèmes romantiques : le rôle prépondérant de l'imagination et de la fantaisie, les sentiments exaltés par l'amour, la nature personnifiée, la rébellion et la glorification de la liberté. Et, dans toute l'œuvre, le culte du moi s'exprime dans les tonalités lyriques et pathétiques.

Mais le condamné n'a rien de romantique. Au pied de l'échafaud, il ne montre pas la grandeur et la dignité d'un héros romantique mais la terreur ordinaire d'un condamné, ce qui accentue l'horreur de l'événement.

▶ **Un récit réaliste**

> **Définition**
>
> Le récit réaliste est, par opposition au romantisme, un récit qui, selon l'un de ses théoriciens, Duranty, est *« la reproduction exacte, sincère du milieu social, de l'époque où on vit »* (1857). Stendhal et Balzac en sont les précurseurs, et *Madame Bovary* de Flaubert est considéré comme le modèle du roman réaliste.

Le récit de Victor Hugo est réaliste par le caractère ordinaire de son personnage et par son ancrage dans la réalité politique et sociale de son époque. Le lecteur est placé dans le Paris de 1829, sous la monarchie de Charles X. Les descriptions du monde judiciaire et des conditions de vie des prisonniers sont détaillées et précises. Le souci réaliste s'étend jusqu'au langage : Hugo retranscrit l'argot avec exactitude.

Mais le personnage principal reste essentiellement et volontairement mystérieux pour le lecteur. Qui est-il ? D'où vient-il ? Quel crime a-t-il commis pour mériter la peine capitale ? Nul ne le saura, ce qui va à l'encontre des règles de transparence (nommer, situer, décrire) et de l'objectif (comprendre le fonctionnement de la société) du réalisme.

II • Au final, *Le Dernier Jour d'un condamné* est...

▶ **Une œuvre novatrice**

Le Dernier Jour d'un condamné est une œuvre qui, en échappant à toute classification littéraire stricte, ne ressemble à rien de ce qui existait à son époque. Avec ce texte, Victor Hugo crée ce qu'on pourrait appeler « un journal intime fictif », qui annonce la littérature romanesque du XXe siècle (les œuvres d'Albert Camus, Jean-Paul Sartre, Nathalie Sarraute…) et dont le but est de plaider la cause des condamnés à mort.

❯ Un plaidoyer

Dans la préface de 1832, Victor Hugo « *avoue hautement que* Le Dernier Jour d'un condamné *n'est autre chose qu'un plaidoyer, direct ou indirect, comme on voudra, pour l'abolition de la peine de mort* ». S'il mêle tous ces genres et registres littéraires, c'est avant tout pour éveiller la sensibilité du lecteur, susciter son adhésion et ainsi l'engager sur la voie de l'abolitionnisme.

Enfin, le choix de ne pas donner de nom au condamné, de ne pas le décrire, de laisser dans l'ombre la nature de son crime permet à Victor Hugo de faire de son personnage un symbole taillé à la mesure de la cause universelle qu'il défend.

3) Focus sur la guillotine

L'histoire moderne de la peine de mort se confond avec celle de la guillotine. Née à la fin du XVIIIe siècle avec la Révolution française, cette machine accompagne les premiers pas de la République. Alors que les régimes politiques se succèdent, elle reste l'implacable instrument de la mise à mort judiciaire jusqu'en 1981.

I • Dans *Le Dernier Jour d'un condamné*

Si la guillotine n'est pas le personnage principal du récit de Victor Hugo, elle n'en reste pas moins l'objet fatal qui occupe toutes les pensées du condamné à mort. Au fil de la narration, ses évocations se multiplient : l'obsession de la mort devient celle de la décapitation imminente. Preuve de l'horreur absolue qu'elle inspire : le narrateur ne saura plus ni la nommer ni la regarder en face. Elle finit par s'imposer dans l'esprit du lecteur, saisi par le terrible silence qu'offre la fin du récit, dont les derniers mots *(« Quatre heures »)* tombent comme un couperet.

II • Brève histoire de la guillotine

➡ Un progrès médical et social

Deux médecins sont à l'origine de cette invention : Joseph Guillotin et Antoine Louis. Hommes des Lumières, considérés alors comme des spécialistes de la mort, les médecins s'opposent à la barbarie des supplices hérités du Moyen Âge et veulent leur substituer une machine à décapiter, qui, selon ses partisans, offre une exécution rapide et douce (opinion que ne partagent pas tous les médecins de l'époque, certains doutant de l'immédiateté de la mort). Le 28 novembre 1789, le député Joseph Guillotin soumet donc l'idée à l'Assemblée constituante et reçoit un accueil favorable.

L'autre objectif de la guillotine est de proposer un mode d'exécution qui, en ces heures de Révolution, ne soit plus réservé aux seuls nobles mais s'applique à tous les condamnés. C'est ainsi qu'en 1791, ce principe égalitaire est adopté et inscrit au Code pénal : « *Tout condamné à mort aura la tête tranchée* » (article 3).

➡ **La machine**

La guillotine n'a pas été inventée par le docteur Guillotin mais par le chirurgien Antoine Louis. Elle a été fabriquée par un artisan (notamment de pianos) : Tobias Schmidt. Ses concepteurs reçoivent l'appui d'un personnage important, le bourreau Charles-Henri Sanson, qui, rechignant à trancher les têtes par l'épée ou la hache (avec le risque que le geste comportait de ne pas tuer du premier coup), prône les avantages d'une mécanique efficace et rentable.

Le 17 avril 1792, la machine est en état de fonctionner, comme le prouve la décapitation, à Bicêtre, de trois cadavres. Huit jours plus tard, Nicolas-Jacques Pelletier devient le premier condamné décapité sur la place publique. L'exécution fut si rapide que la foule hua le bourreau !

D'abord appelée « Louison » ou « Louisette » (formés sur le nom d'Antoine Louis), elle devient définitivement « la guillotine » en hommage à son promoteur. Le peuple, lui, la surnomme « la veuve ».

Leurs dernières paroles sur l'échafaud

• 21 janvier 1793 : **Louis XVI** déclare : « *Français, je meurs innocent ; je pardonne à mes ennemis ; je désire que ma mort soit...* » (le roulement de tambour couvrit ses dernières paroles).

• 5 avril 1794 : **Danton** déclare au bourreau : « *N'oublie pas surtout, n'oublie pas de montrer ma tête au peuple : elle est bonne à voir.* »

• 25 juillet 1794 : le poète **André Chénier** déclare en désignant sa tête : « *Pourtant, j'avais quelque chose là !* »

➥ De 1793 à 1977

La Terreur (de septembre 1793 à juillet 1794) est une période révolutionnaire durant laquelle l'emploi de la guillotine s'intensifie. Plus de 20 000 exécutions sont alors pratiquées. En France, son usage ne prend fin qu'en 1977, mais il faudra attendre quelques années avant que ne soit abolie la peine capitale. Dans bien d'autres pays, tels que la Chine et certains États d'Amérique, cette sentence est toujours appliquée…

Exécutions célèbres aux XIXᵉ et XXᵉ siècles

• 7 juin 1820 : exécution de **Louis Pierre Louvel**, assassin du duc de Berry.

• 21 septembre 1822 : exécution des **quatre sergents de La Rochelle** accusés d'avoir voulu renverser la monarchie.

• 30 juillet 1943 : exécution de la « faiseuse d'anges » **Marie-Louise Giraud**, accusée d'avortements.

• 10 septembre 1977 : exécution d'**Hamida Djandoubi**, dernier condamné à mort français.

III • Le combat des abolitionnistes

▶ Un combat de longue date

Dès le XVIIIᵉ siècle, des voix se sont élevées contre la peine de mort et se sont indignées. Les abolitionnistes n'ont eu de cesse de protester et proposer des projets de loi visant à la supprimer. En 1793, le philosophe Condorcet proposa une motion qui entraîna une abolition momentanée de la peine de mort. Mais, tout au long du XIXᵉ siècle, les projets abolitionnistes furent rejetés, bien qu'ils aient été portés par des grands noms tels que Lafayette, Lamartine et, bien sûr, Victor Hugo.

❯ La guillotine : objet barbare et implacable

Au-delà d'une dénonciation philosophique (une société peut-elle décider légitimement d'assassiner quelqu'un ?), les abolitionnistes dénoncent l'existence même de la guillotine : comment une mécanique qui se voulait, à l'origine, un progrès humaniste a-t-elle pu devenir un objet monstrueux exerçant une fascination horrifiée ?

En séparant le corps de l'âme, la guillotine porte atteinte à l'intégrité de l'essence humaine et rend le condamné à l'état de chose immonde, tranchée et sanguinolente. Plus encore que de lui ôter la vie, la machine anéantit l'humanité du condamné.

Symptomatique de l'ère industrielle, la guillotine est donc cet objet implacable qui asservit le sujet et le détruit. Le bourreau, lui, ne donne plus la mort : il actionne une machine. Cette efficacité, ce systématisme et cette déshumanisation du geste du bourreau renvoient aux exterminations commises au XXe siècle et font de la guillotine le symbole de la barbarie moderne.

Exécution d'Eugène Weidmann, à Versailles, le 17 juin 1939, dernier condamné à être exécuté sur la place publique en France.

▶ Le combat de Robert Badinter

Défenseur de Roger Bontems, reconnu seulement de complicité dans le meurtre commis par Claude Buffet mais néanmoins condamné et exécuté le 28 novembre 1972, l'avocat Robert Badinter a été marqué par ce procès et n'a plus cessé son combat contre la peine capitale. En 1977, il accepte de défendre Patrick Henry, accusé du meurtre d'un enfant. Face à la monstruosité de cet acte et à l'impopularité du meurtrier, Robert Badinter prend le parti non pas de défendre ce dernier mais de faire le procès de la peine de mort. Dans sa plaidoirie, il mentionne Victor Hugo, s'inscrivant ainsi dans la filiation du père littéraire de l'abolitionnisme. Ce faisant, il parvient à sauver la tête de son client (et d'autres accusés par la suite).

▶ L'abolition définitive

En mai 1981, François Mitterrand est élu président de la République. Opposé à la peine capitale, malgré une opinion française encore majoritairement favorable, il avait promis son abolition s'il était élu. Dans le premier gouvernement formé par Pierre Mauroy, Robert Badinter est donc nommé ministre de la Justice. Le 17 septembre 1981, il présente, à l'Assemblée nationale, un projet de loi abolissant la peine de mort.

> Monsieur le président, mesdames, messieurs les députés, j'ai l'honneur, au nom du Gouvernement de la République, de demander à l'Assemblée nationale l'abolition de la peine de mort en France.
>
> En cet instant, dont chacun d'entre vous mesure la portée qu'il revêt pour notre justice et pour nous, [...] je tiens à remercier tous ceux, quelle que soit leur appartenance politique, qui, au cours des années passées, notamment au sein des commissions des lois précédentes, ont également œuvré pour que l'abolition soit décidée, avant même que n'intervienne le changement politique majeur que nous connaissons.
>
> Cette communion d'esprit, cette communauté de pensée à travers les clivages politiques montrent bien que le débat qui est ouvert aujourd'hui devant vous

est d'abord un débat de conscience, et le choix auquel chacun d'entre vous procédera l'engagera personnellement.

[...] En vérité, la question de la peine de mort est simple pour qui veut l'analyser avec lucidité. Elle ne se pose pas en termes de dissuasion, ni même de technique répressive, mais en termes de choix politique ou de choix moral.

[...] Partout, dans le monde, et sans aucune exception, où triomphent la dictature et le mépris des droits de l'homme, partout vous y trouvez inscrite, en caractères sanglants, la peine de mort.

[...] Demain, grâce à vous, la justice française ne sera plus une justice qui tue. Demain, grâce à vous, il n'y aura plus, pour notre honte commune, d'exécutions furtives, à l'aube, sous le dais noir, dans les prisons françaises. Demain, les pages sanglantes de notre justice seront tournées.

Extraits du discours de Robert Badinter, garde des Sceaux.

Adoptée à une large majorité, la loi est promulguée le 9 octobre.

« Effet de l'éloquence du ministère public sur le barreau. »
Dessin et texte à la plume de Victor Hugo.

4) Et par ailleurs...

La modernité du *Dernier Jour d'un condamné* et l'actualité de son thème en ont fait une œuvre de prédilection pour nombre d'arts aux XXe et XXIe siècles. Cette fascination s'explique par le caractère universel et la profondeur de ce roman, qui traite des angoisses humaines – la mort, la tragédie que constitue toute existence, la solitude fondamentale de chaque être – et dépasse le seul thème abolitionniste.

SUR SCÈNE

Ses caractéristiques théâtrales et l'omniprésence du monologue intérieur la destinant naturellement à cet art, l'œuvre de Victor Hugo a logiquement été la plus adaptée au théâtre. Vous pourrez apprécier quelques extraits de mises en scène sur le Net (Dailymotion, Web TV…) : celle de François Bourcier, avec David Lesné (voir le clip réalisé par Jean-Marc Durrieu) ; celles des compagnies Volt et Courants d'air, qui proposent une adaptation originale, à la fois théâtrale et musicale ; celle de la compagnie Nocturne, qui propose une interprétation sobre et sombre, sur une mise en scène de Luc Sabot.

VERSION « BULLES »

Le pari de raconter en bande dessinée une histoire aussi tragique a été relevé par les éditions Delcourt en 2007. Scénarisé et réalisé par le dessinateur Stanislas Gros, l'ouvrage rend magnifiquement hommage à la dimension fantasmagorique et onirique du texte. De ce fait, l'adaptation graphique apporte une interprétation nouvelle et enrichissante de l'œuvre. Vous pouvez visualiser quelques planches à l'adresse suivante : http://www.editions-delcourt.fr/catalogue/bd/le_dernier_jour_d_un_condamne_de_victor_hugo.

À VOS ÉCOUTEURS

Le Dernier Jour d'un condamné a beaucoup inspiré les éditeurs de livres audio : notez la lecture intéressante de Philippe Hérisson publiée chez Livraphone (2007). Vous trouverez également, sur de nombreux sites tels que audiocite. net, litteratureaudio.com et bibliboom.com, des versions audio gratuites du roman.

SUR LA T@ILE

Pour nourrir votre réflexion et vos exposés, allez visiter le site de l'Assemblée nationale (www.assemblee-nationale. fr). Vous y trouverez notamment l'intégralité des débats (séances des 17 et 18 septembre 1981) sur le projet de loi visant à abolir la peine de mort (recherchez « Commémoration de l'abolition de la peine de mort »).

AU 7ᵉ ART

Comment la caméra peut-elle plonger dans la conscience tourmentée et rendre compte de l'obsession d'un homme ? Tel est le défi de taille à relever. Malgré tout, les cinéastes ne pouvaient pas faire l'impasse sur une œuvre aussi saisissante. Nous vous invitons donc à regarder :

– *Le Dernier Jour d'un condamné* (1996) de Jean-Paul Mongrédien ;

– *Le Dernier Jour d'un condamné* (2002) de Michel Andrieu et Georges Nivoix, disponible sur le site du CRDP de Besançon.

Pour actualiser le débat sur la peine de mort, vous pourrez relier le texte de Victor Hugo à des œuvres cinématographiques contemporaines :

– *La Dernière Marche* (1995) de Tim Robbins, avec Sean Penn, d'après le livre d'une religieuse qui a accompagné des condamnés à mort jusqu'à leur exécution ;

– *La Ligne verte* (1999) de Franck Darabont, avec Tom Hanks, d'après un récit de Stephen King ;

– *La Vie de David Gale* (2003) d'Alan Parker, avec Kevin Spacey et Kate Winslet, qui raconte l'histoire d'un militant abolitionniste.

➤ PISTES de RECHERCHE

- Replacez, dans le contexte de l'œuvre, les extraits que le clip de Jean-Marc Durrieu (sur Dailymotion) propose de la mise en scène de François Bourcier.

- Regardez les quatre adaptations théâtrales que nous vous proposons et dites laquelle vous semble la meilleure. Justifiez votre réponse en quelques lignes.

- Choisissez un des extraits du roman et faites-en une lecture expressive pour le site Lectomaton.

- Rendez-vous sur le site des éditions Delcourt et ouvrez la planche 1 extraite de la BD du *Dernier Jour d'un condamné*. Quel chapitre de l'œuvre cette planche 1 illustre-t-elle ? Que représente le squelette, à votre avis ? Quelles couleurs dominent ? Pourquoi ?

« *Vous aviez faim… vous aviez faim…, ça n'est pas une raison…* »,
lithographie d'Honoré Daumier.

Achevé d'imprimer en Italie par Rotolito Lombarda
Dépôt légal : Octobre 2013 - Edition: 01
28/1541/3